CW00418493

Nicolas Fargues

Je ne suis pas une héroïne

P.O.L

Nicolas Fargues est né en 1972. Il rencontre le succès public et critique à partir de *One Man Show* (2002). Depuis, il a écrit d'autres romans, tous publiés chez P.O.L, dont *Tu verras* (2011, prix du Livre France Culture - *Télérama*) et plus récemment *Je ne suis pas une héroïne* (2018).

Pour Sandrine, irrésistiblement

1

Les douches de l'aéroport de Sydney, je les avais imaginées plus salubres et moins exiguës. Le carrelage était recouvert d'un caillebotis en plastique qui sentait les pieds. Comme mes tongs étaient restées dans ma valise, beurk. Pour éviter un contact direct avec le sol, j'ai enfilé la paire de chaussettes remise dans l'avion au départ de Roissy, tout en réalisant qu'une fois imbibées d'eau, ça ne changerait pas grand-chose. Les vêtements défraîchis et les propres, le sac de voyage, la serviette et la trousse de toilette : tu étais censée tout suspendre sur un minuscule crochet fixé à la porte de la cabine. Cela t'obligeait à empiler tes affaires les unes sur les autres et à vérifier toutes les trente secondes qu'elles n'allaient pas tomber par terre. Et puis, une fois dans la douche, on risquait de tout éclabousser tellement l'espace était réduit entre la porte et le jet. Il a fallu que je trouve une position assez inconfortable pour me laver sans me mouiller la tête ni toucher le mur, où persistaient des

cheveux et des traces de shampoing des usa-
gers précédents. Et puis cette odeur d'urine qui
remontait de la bonde. Moi aussi, il m'arrivait de
faire pipi sous ma douche. Mais c'était exclusi-
vement *chez moi*, dans *ma* salle de bains. Je faisais longuement couler l'eau ensuite et je passais
toujours une éponge avec un peu d'Ajax au fond
de la baignoire pour terminer.

Une prof de SVT avait jadis expliqué en cours
que, si beaucoup de gens ont envie d'uriner en
prenant leur douche, c'est à cause du choc de
l'eau sur la peau, d'une température inférieure
à celle de notre corps. Pour s'adapter à cette
information brutale qui lui fait perdre la bous-
sole pendant quelques instants, l'organisme a
le réflexe de compenser en rejetant la première
source de chaleur qui lui vient à l'esprit : l'urine.
« Un *S.O.S. thermique* », avait résumé la prof.
Même si tu n'accroches pas vraiment à tes cours
de biologie à quinze ans, des formules comme
celle-ci t'accompagnent tout au long de ta vie,
comme un proverbe. Je m'en étais souvenue
pendant mes vacances en Tunisie, un après-midi
que nous étions à la plage avec Fadila et ses cou-
sins. La famille m'avait invitée à passer dix jours
en août avec eux à Kelibia. L'eau était bonne,
on se tenait tous en cercle, immergés jusqu'à la
taille, à parler de tout et de rien sous le soleil
qui déclinait. À un moment donné, Fadila a dit
en se tortillant qu'elle avait une envie pressante
mais qu'elle n'oserait pas se soulager en notre
présence, qu'elle trouvait ça dégoûtant malgré

l'immensité de la mer. Qu'elle l'aurait fait si elle avait été seule, mais plus au large, là où on n'a plus pied. Parce que, si près du bord et des autres baigneurs, elle ne trouvait pas cela très respectueux, etc. Comme elle aimait s'attarder quand elle parlait, Nidhal, son cousin hand-balleur, l'avait interrompue : « Pourquoi tu te prends la tête comme ça, Fadila ? Tiens, là, tu vois, pendant que tu nous racontes ta vie, je suis justement en train de pisser. Ni vu ni connu, tranquille. »

Le ton chantant sur lequel il avait prononcé sa phrase nous avait tous fait éclater de rire. Il avait parlé en souriant de ses dents bien alignées, tout en faisant de ses mains un lent mouvement de va-et-vient à la surface de l'eau. Très calme, tout le contraire d'un *S.O.S. thermique*, en somme. Ou *Tout à fait ça*, aurait pu grassement sous-entendre Fadila, qui, tout cousin qu'il était, avait toujours trouvé Nidhal très sexy. En tout cas, l'expression m'était venue spontanément à l'es-prit. En le regardant, en regardant ses mains, ses dents et les petits résidus de sel en équilibre sur ses épaules, en cette fin d'après-midi si douce et dans cette eau qui nous enveloppait comme un drap de soie, j'avais eu envie de me hisser sur la pointe des pieds, de passer mes bras autour de sa nuque et de l'embrasser. Parce que je ne lui déplaisais pas non plus, à Nidhal, je l'avais ressenti à plusieurs reprises en interceptant à droite à gauche des coups d'œil et des petits sourires qui ne trompent pas. Mais, sans que je comprenne si c'était par timidité ou parce que je ne l'attirais pas au-delà de ce jeu de regards, il n'avait rien tenté durant les deux jours qu'il avait passés avec nous dans cette grande maison familiale. Cette maison sans meubles et aux pièces un peu fatiguées où, chaque soir après les dernières conversations sur la terrasse avec Fadila, au moment où elle s'apprêtait de son côté à skyper dans sa chambre avec Cyril resté à Paris, ma solitude à moi me retombait dessus dès que je montais me laver les dents, puis que j'allais m'allonger dans mon lit deux places. Parce qu'un grand lit au milieu d'une grande chambre de maison de vacances au bord de la mer, en été, c'est fait pour être partagé avec un homme qu'on aime, impossible de ne pas y penser. Malgré notre vieille amitié avec Fadila, malgré son oncle et sa tante qui m'avaient accueillie comme si j'étais leur propre fille, malgré nos bains de mer, nos rigolades, les ballotins *30 pièces* de chez Masmoudi et les briks thon-œuf-harissa avalés sur la corniche le soir, je m'étais sentie presque aussi seule au cours de ces vacances qu'en hiver à Paris, dans mon studio humide de la rue des Épinettes.

Tout ça parce que, juste avant la Tunisie, un type sans intérêt avec lequel je sortais à ce moment-là avait eu la fâcheuse idée de prendre lui-même l'initiative d'une rupture qui, en vérité, nous avait pendu au nez dès le premier jour. Quitter un mec avec qui tu ne partages à peu près rien sauf du sexe et un goût pour la première saison de la série *Empire*, cela signifie qu'en dépit de tes relations médiocres à répétition avec les hommes, il te reste quelques grammes de dignité, de discernement et d'espoir en attendant un improbable *grand amour*. Si le type s'est avéré un peu entreprenant et attentionné au lit, tu peux, au pire, craindre de le regretter si le prochain sur la liste est plus pataud. En revanche, si c'est lui qui décide de te quitter en premier, ça change tout. Je n'exagère pas : tout.

Premier acte de dramatisation post-rupture : se repasser dans le détail le film du petit mois et demi qu'aura duré votre relation. C'est dans le métro que je le repère, un mercredi du mois de juin, ligne 13, entre les stations Place de Clichy et Liège. Il s'est affalé sur une banquette vide, sa tête appuyée contre la vitre du wagon, une paire d'écouteurs à fils blancs reliés à ses oreilles. Fin de vingtaine, tout début de trentaine, il a une peau lumineuse, très hydratée. Son visage est beau, avec sa forme carrée et des traits nets qui font bien ressortir l'expression de ses yeux. D'habitude, je n'aime pas trop chez un homme la barbe de trois jours sculptée à la tondeuse sur les joues, ni les tresses plaquées, ni les boucles sur chaque oreille. Mais, après avoir réalisé que je le mate, il me retourne mes œillades avec humour. Avec ses seuls sourcils, il me signifie quelque chose comme : *Sérieux ? C'est bien moi que tu es en train de checker, là ? Vraiment ? Tu veux jouer à ça ? Tu es sûre ?* Tout ça sans avoir relevé sa tête de la vitre. C'est face à mon insistance qu'il finit par se redresser sur la banquette. Il se retourne, comme si ce n'était pas lui que je vise mais quelqu'un plus loin, là-bas derrière, dans le fond du wagon. Puis il ramène ses yeux dans les miens et je ris de plus belle à son numéro depuis mon strapontin.

À Saint-Lazare, où je dois effectuer mon changement, je prie pour qu'il se lève en même temps que moi. Au moment de passer la porte, après un dernier regard, je le sens hésiter. Le signal de fermeture des portes retentit lorsque finalement il se lève de sa banquette et se précipite d'un bond sur le quai pour me rejoindre. Il fait facile un mètre quatre-vingt-cinq et il a un beau cou, des épaules bien dessinées, des lèvres charnues et précises. L'expression *beau gosse* n'est pas dans mon vocabulaire mais elle lui va bien. Si beau qu'il en sublime son look passe-partout : Timberland aux pieds, chino resserré aux chevilles et hoodie ouvert sur un débardeur blanc moulant.

« Normalement, c'est pas ici que je descends, hein », me prévient-il immédiatement, sans prendre la peine d'ôter ses écouteurs.

Un homme qui s'adresse à une femme disponible en gardant ses écouteurs enfoncés dans les oreilles, même si certaines peuvent trouver que ça lui donne un air irrésistible *Je suis désinvolte mais je m'assume*, voilà le premier signe d'un échec annoncé. Secundo, sa phrase : *Normalement, c'est pas ici que je descends, hein*, lancée quasi sur un ton de mise en garde. Avec le recul, je pense : Non mais quelle mesquinerie, quel manque de panache, quel quant-à-soi. Traduction : *Bon, tu m'as fait me lever et descendre plus tôt que prévu de ma rame de métro, j'espère que tu en vaux la peine. Qu'est-ce que tu as de si extraordinaire à me proposer ?* Quel petit placement à court terme, quel riquiqui prêt avec intérêts. Mais, sur le moment, au lieu d'être refroidie par ce cumul d'alertes, moi je reste béatement scotchée sur ses gencives foncées et ses dents blanc mat sur lesquelles je m'imagine déjà passer la pointe de ma langue. Sous le charme, je hasarde : « Vous avez vu *Shame*, le film ? »

Il me fait un *non* inexpressif de la tête mais je me lance quand même : « Eh bien, dans la première scène, on voit Michael Fassbender dans le métro de New York qui fixe une inconnue avec un regard non pas *limite* prédateur, mais carrément *de* prédateur. » Le visage du type se teinte soudain d'hostilité, il m'interrompt : « Attendez, qu'on soit bien clairs, là : c'est *vous* qui m'avez regardé en premier, pas moi. » Il me sort ça très sérieusement, tout en me pointant d'un doigt menaçant sur son *vous*. Face à une telle réaction, n'importe quelle fille dotée d'un quota minimum d'amour-propre aurait tout de suite détecté le paranoïaque, le retors, le donneur de leçons, le pas drôle, le psychorigide. Elle se serait excusée avec ironie pour le dérangement et aurait tourné les talons sur ce quai de métro, *Ciao et à jamais galère-lover, embrouille ambulante.*

Moi, dans ces cas-là, même si sa réaction me désoriente un peu, même si une région

reculée de mon cerveau lui colle instantané-
ment les mots *parano* et *psychorigide*, à ce type,
moi, dans ces cas-là, je reste. Je ne sais pas bien
pourquoi, mais je reste. Pire : j'insiste. J'ai beau
avoir d'entrée de jeu cerné ses limites, beau
me dire qu'un mec de cette gamme-là ne te
réservera jamais rien de joliment inattendu, il
devient aussitôt une curiosité, un cas d'étude,
une côte glissante à gravir, une équation impossible à résoudre, juste pour la beauté du geste.
Est-ce l'ennui qui me pousse ainsi à aller au-
devant de marécages annoncés ? Est-ce cette
distance maladive que je cultive à propos de
tout et n'importe quoi qui ne m'a jamais fait
prendre tout à fait au sérieux les hommes au-
delà des *problèmes*, précisément, des *problèmes*
qu'ils peuvent traîner avec eux, et te créer à toi
par la même occasion ? Ou est-ce toujours la
solitude, cette peur banale de finir seule, confite
dans mon orgueil et ma fine bouche, cette lassi-
tude de toujours me trouver de bonnes raisons
de ne pas trouver les hommes que je rencontre
suffisamment à mon goût ? *Soit depuis toujours
on nous ment sur l'amour, soit je n'ai rien compris* : voilà la conclusion à laquelle je me rends
à chaque fois, quand j'y pense. *Et si le prince
charmant était un « corps étranger », au sens médical du terme ?* Et si le *grand amour partagé*, l'*écho
des cœurs*, le *don à deux*, la *danse en apesanteur*,
la *complicité de l'implicite*, la *merveilleuse bien-
veillance* : si toute cette bonbonnière de mots
n'était au bout du compte qu'un fantasme de

petite fille capricieuse et autocentrée ? *Et si le problème, c'était moi ?* Voilà ce que je finis toujours par me demander dans ces cas-là.

Ainsi, ce jour-là, sur ce quai de métro, je me dis : Il a raison, ce mec, au fond : même si j'entendais faire référence à une situation tant de fois exploitée au cinéma (un homme et une femme qui se regardent dans le métro), ma phrase à propos de *Shame* était ambiguë. Je suis quand même gonflée de lui avoir d'emblée attribué le rôle du prédateur, il ne pouvait pas l'interpréter autrement. Et puis, après tout, c'est vrai : c'est moi qui l'ai entrepris, ce jeu de regards, pas lui. Il a refusé de se faire manipuler et il a raison. Il m'a fermement remise à ma place, bravo. Il ne se laisse pas faire, lui, au moins. Agressif ? Au fond, je ne récolte que ce que je mérite. Il me fait payer par ses mots certes désagréables des limites que j'ai, à la fois, franchies et pas su lui imposer. Et si je n'ai pas su lui en imposer, des limites, c'est que je considère légitime que n'importe qui puisse les franchir à tout moment en me parlant sur un ton blessant. Un psy dirait que c'est moi toute seule, au fond, qui l'ai autorisé à me traiter de la sorte. Sa brutalité *axée* contre mon surmoi pas très clair.

« Excusez-moi, vous avez raison et j'ai eu tort », je lui réponds en forçant un peu sur la contrition. « Le prédateur, dans l'histoire, c'est moi, pas vous. » Il y a un plaisir subtil à s'excuser pour une faute que l'autre a commise. Rien de masochiste là-dedans, bien au contraire. Chez moi, cette joie sacrificielle est surtout une façon de demander pardon à quelqu'un de ne pas l'estimer assez.

Ravi d'avoir été mis en position de force à moindres frais, presque déçu par mon manque de pugnacité, il me sourit avec une indulgence désormais pleine de convoitise : « Bon, alors, ce film. Vous vouliez me dire quoi, au juste ? »

La suite de mon histoire avec ce type, j'en ai déjà suffisamment vécu de comparables pour me demander s'il ne vaudrait mieux pas, au bout du compte, choisir et assumer de rester seule jusqu'à la fin de ma vie. Quant à l'amour, le *vrai*, eh bien il n'a qu'à aller voir ailleurs si j'y suis. Déjà, le mec se prénomme Alain. Ce n'est pas de sa faute, bien sûr. On les connaît, les prénoms des Antillais. Mais *Alain*, à vingt-neuf ans, en 2015, non, c'est pas sortable. Je veux dire, à moins que tu aies une personnalité originale au point de faire oublier que tu t'appelles Alain, laisse tomber. Donc, je fais avec Alain comme j'ai fait avant lui avec Eduardo, avec Jean-Philippe, Ferréol, Moussa et d'autres encore : je sais que tout ça ne nous mènera nulle part, mais je fonce quand même. On se donne rendez-vous pour le lendemain soir. Je passe sur le jargon des textos reçus entre-temps, les coquilles parasites à la pelle, les fautes d'orthographe, les participes pas accordés, les infinitifs qui n'ont rien à faire là, l'anglais de cuisine qui s'en mêle, les *lol*, les *ptdr*, les *tkt*, les *no soucis*, les *ça roule* et les *à toute*.

Le lendemain soir, donc. Après un verre pris dans un bar beaucoup trop bruyant de Pigalle et dont il m'a, comme il se doit, laissée payer ma part d'addition, c'est rue des Épinettes que j'emmène Alain puisque, chez lui, prévient-il, *c'est compliqué.* Il faut entendre : Alain galère. Mais, on le comprend, il préfère ne pas trop s'étendre là-dessus le premier soir. Ça se passe fort agréablement sur ma méridienne Ikea : Alain embrasse bien, Alain n'a pas les deux pieds dans le même sabot lorsqu'il me touche et me déshabille, le sexe d'Alain est propre, dur et goûteux en bouche, Alain ne voit aucun inconvénient à mettre à son tour sa bouche entre mes cuisses, Alain est en santé et n'éjacule pas précocement. Tout cela pourrait très bien rattraper une conversation sans grand relief au café : il est entre deux boulots, là, il voudrait bien rester dans la boîte de *logistique et transports* où il est comptable parce que le job ne lui déplaît pas *en soi,* mais son patron lui *prend trop la tête.* Et quand on lui *prend la tête au taf,* lui, Alain, il ne cherche pas à comprendre : il se *casse.* Il préfère ça plutôt que *rentrer en sinusite* avec les gens. Il est comme ça, Alain : *entier.* Avec lui, c'est *tout ou rien,* c'est à prendre ou à laisser, *point barre. Professionnellement parlant,* en tout cas, il peut se le permettre parce que, dans son *secteur,* c'est *jamais* la crise. C'est ça qui est bien avec les comptables : on en a toujours besoin d'un quelque part.

Hormis son expression *rentrer en sinusite* qui me fait rire, plus grand-chose. Son club d'athlétisme, ses potes, ses vacances en Guadeloupe une fois par an, ses compétitions régionales de jeux vidéo et sa collection d'affiches de festivals de gwoka : il ne parle que de lui, il ne me pose pas une seule question. Ah, si : combien je gagne par mois. Ça, ça l'intéresse, les chiffres, les quantités, évaluer mon avoir. Davantage que la nature de mon dernier emploi en date, en tout cas. *Préparer des revues de presse pour les entreprises ? C'est un métier, ça ? Des gens te payent pour ça ?* Pas certaine d'ailleurs qu'il ait bien compris ce que signifie le terme *revue de presse*. Mais puisqu'il ne demande pas, je ne dis rien. Et je n'en nourris aucune frustration car j'y suis habituée, aux mecs à monologues. Quatre-vingts pour cent des hommes monologuent, de toute façon, c'est la norme. En gros, soit ils monologuent, soit ils se taisent trop. Et puis, après tout, cette conversation unilatérale ne me dérange pas. Je n'aime pas que l'on s'intéresse à moi par politesse. Parler de moi en fond sonore, je ne peux pas. Non que ce que j'ai à dire soit exceptionnel et exige une attention particulière. Juste que ne pas être écoutée *pour de bon* me pèse davantage que ne pas m'exprimer. Mais passons.

Après l'amour dans ma méridienne, nous réatterrissons lourdement, Alain et moi. Le post-coït, avec lui, c'est un peu comme les écouteurs intra-auriculaires qu'il n'avait pas enlevés pendant qu'on discutait sur le quai du métro : il faut prendre sur soi en évitant de trop y penser. Alain a certes poliment attendu que je jouisse pour retirer son préservatif et venir à son tour. Mais, sitôt exécuté, il abandonne la capote sur ma moquette, s'éponge le gland avec un pan de son caleçon, le renfile et se lève pour aller vérifier ses messages sur son portable resté dans la poche de son jean. Jean qu'il a pris un soin maniaque à plier puis à pendre sur la poignée de la porte de mon salon, au moment de se déshabiller. Pas un regard sur moi au passage, pas un mot un peu tendre, pas une caresse, pas même une blague ou un commentaire pour assurer un retour en douceur au réel, rien. Il me laisse à l'horizontale sur le bord de la méridienne, parties intimes à l'air et top à bretelles relevé, avec ses giclées de sperme en train de refroidir sur mes seins.

C'est ma persévérance et mon écoute qui, les jours suivants, au fil de nos rencontres, finissent par révéler chez lui un côté attachant. Il se fiche toujours autant de ce que je peux dire ou penser, ça, il ne faut pas rêver. Il est toujours aussi bougon, prompt à s'emporter, susceptible, il se plaint pour un oui ou pour un non. Mais au moins se confie-t-il de plus en plus spontanément. Ses conflits à répétition avec son frère aîné. Son métier de comptable qu'en vérité il déteste. Ce petit plus qui lui aura manqué pour passer pro en athlétisme. Ce sempiternel refrain qu'il finira par s'installer définitivement en Guadeloupe, mais tout en sachant très bien qu'au bout de deux mois il y *péterait un câble* à cause de la mentalité là-bas. Cette impression générale de *fuir* quelque chose, sans doute lui-même.

Bref, sa sensation certains matins de n'être rien d'autre qu'un *défaitiste* qui essaie de *donner le change.*

Je l'écoute, compatis à l'expression de ses doutes, le rassure en lui caressant la nuque et les épaules le soir devant ma télé. Je le conseille sur ses choix avant qu'il s'endorme. Je lui fais la cuisine, le savonne dans ma baignoire, lui texte des mots doux et drôles durant la journée, le suce à l'improviste. Dans un sens, je trouve aussi mon compte à tout cela, la présence d'Alain occupe mes soirées. Même si je pense : Quel coup tordu, la vie, s'il faut que ce soit au prix d'assister un homme qu'une femme peut se sentir utile, donc un peu moins seule. Ainsi, jour après jour, je m'y résous sans illusion, à cette histoire. Je le sais depuis le début, qu'elle n'est pas faite pour durer, et mon double fond de scepticisme attend sans doute le moment propice pour y mettre un terme. Je ne suis pas amoureuse d'Alain, loin de là. Mais c'est toujours cela de gagné sur tous ces soirs glauques où ne m'accueille au retour du travail que le bourdonnement de mon frigo. Et, dans mon placard et mes tiroirs, bien trop d'assiettes, de verres et de couverts pour l'interminable célibataire que je suis.

Et puis, le soir du 29 juillet, je reçois ce texto :

Dslé j viens pas ce soir, ça va pas, la discution au téléphone ma pris la tête tt a l'heure, je pense ça va pas le faire entre nous en fait. Dis moi à kel heure jpeux venir 2main chercher la paire de

basket, la chemise et les magazines que j'ai laissé
chez toi ;

À ma surprise, mon cœur s'emballe à mesure
que je lis. À la fin du texto, je pose mon téléphone sur l'accoudoir de la méridienne et relève
le visage vers mon écran de télé éteint. J'ai l'impression que mon corps est en train de réagir
sans m'en avoir demandé la permission. Mon
cœur s'est arrêté de battre, mais c'est pour se
transformer en une sensation d'oppression nau-
séeuse dans mon ventre. Ce que je ressens pourrait s'apparenter, mettons, à ce que l'on éprouve
lorsqu'on rate un vol dont le billet n'est pas rem-
boursable. Ou bien lorsque, fin juin, au collège,
on t'annonce que tu ne passeras finalement pas
en seconde. Soudain, je visualise mentalement
mon frigo vieillissant et mes piles d'assiettes inutiles dans le placard de ma cuisine. Ce bond
féroce en arrière dans la solitude, je sens que
ça ne va plus être possible cette fois-ci. Avec un
sourire forcé, je dis tout haut pour moi toute
seule : « Wow, qu'est-ce que ce serait si j'avais
été amoureuse ! »

Je ne sais trop ce qui me paraît le plus incon-
gru : ma réaction au message d'Alain ou le message lui-même. Depuis quelques jours, je sentais
bien qu'il m'en voulait de préparer mes vacances
en Tunisie avec Fadila, mais sans trouver de prétexte suffisamment solide pour me le reprocher.
Si peu de temps passé ensemble, et déjà il s'as-
sombrit de ce qui peut m'arriver de bien : voilà

ce que je déplore dans mon coin. C'est ce que je finis par lui dire, ce matin-là au téléphone : « Alain, je te sens un peu agressif depuis le début de notre conversation, et j'ai l'impression que c'est mon départ en Tunisie de dimanche qui te met dans cet état-là. Parce que, franchement, j'ai beau chercher, je ne vois pas d'autre raison. Si je me trompe, je te demande sincèrement de m'excuser. Mais, si j'ai raison, dis-le-moi et on en parle franchement, ça évitera les tensions. Nous sommes deux adultes, tout peut se régler avec de la bonne foi de part et d'autre. Donc, parle-moi s'il te plaît, j'ai besoin de comprendre ce qu'il se passe. » Sur un mode de tendre plaisanterie, j'ajoute : « Si tu as peur que je te manque, il ne faut pas hésiter à me le dire, tu sais. C'est flatteur et j'avoue que ça me ferait plaisir. Et puis, dix jours, ça passe vite. »

« C'est une façon de me dire que j'ai l'habitude d'être de mauvaise foi, c'est ça ? » Voilà ce qu'il me répond avec une raideur décourageante. Si j'ai parlé de *bonne foi*, c'est en effet parce que je commence à le connaître, l'animal : il en manque singulièrement, parfois. Mais j'ai été maladroite, trop directe. *Adultes*, *mauvaise foi* : ce n'étaient pas les bons mots. Adulte, Alain ne l'est pas tout à fait. La preuve : comme je l'ai vexé et que c'est moi qui l'ai *agressé en premier*, comme j'ai été *méchante*, il peut dès lors s'acharner en toute légitimité : « Et puis qu'est-ce que je peux bien en avoir à foutre, que tu partes en Tunisie ? Tu crois que j'ai pas ma vie, moi aussi ? »

« Alain », lui dis-je en tâchant de faire contrepoids de douceur à son animosité croissante, « Alain, on peut discuter calmement, pas besoin de commencer à se balancer des gros mots. Je suis très sensible aux mots en général et j'ai tendance à les prendre au sérieux, trop au goût de certains. Alors, je te le demande, évitons si possible les grossièretés, ça n'enlèvera rien au contenu de la conversation, bien au contraire. »

« Je dis *rien à foutre* si je veux », s'obstine-t-il. « Mon éducation, elle est déjà faite, je n'y peux rien. Si ça te *fait chier*, si je ne suis pas assez raffiné pour toi, eh bien tant pis, je suis comme ça et je ne changerai pas. N'oublie quand même pas que c'est toi qui es venue me chercher dans le métro. Je ne t'ai rien demandé, moi. »

Je m'interroge : qu'est-ce qui peut bien le pousser à crier de la sorte sur une femme que, au fond, il connaît à peine ? Est-ce d'avoir, à de très nombreuses reprises au cours de ces dernières semaines, frotté sa peau contre la mienne dans mon lit, mêlé ses muqueuses et ses fluides corporels aux miens et échangé avec moi 80 millions de bactéries à chaque baiser qui l'exempte du respect et de la retenue dont l'on fait montre d'ordinaire face à des gens dont l'on ne sait à peu près rien ? Qui lui autorise une familiarité aussi négative ? Il fait référence à son *éducation* : à quelle étape de son *éducation*, justement, ses parents auront-ils omis de lui apprendre que cela ne se fait pas, de démesurément hausser le ton face à des gens qui ne vous ont rien fait ? Mieux : qui vous veulent et font du bien ?

« Alain, dis-je le plus posément possible, Alain, je vais raccrocher maintenant pour ne pas avoir à te raccrocher impoliment au nez à ta prochaine vulgarité. Ce n'est manifestement pas le bon moment pour une conversation claire, on se parlera plus tard, lorsque nous serons plus apaisés tous les deux. À plus tard. » Et je raccroche.

Aussitôt je m'en veux. J'ai envie de le rappeler pour m'excuser de m'être montrée trop expéditive au téléphone, de ne pas lui avoir véritablement donné la possibilité de s'exprimer avec ses mots à lui, même s'ils me heurtent. Étant moins encline que lui à l'autocontradiction, moins impulsive, plus contenue, n'était-ce pas à moi de me montrer également plus compréhensive ? Il faudrait que j'appelle maman, ou Fadila, ou Sabine, pour leur demander leur avis. La réponse de Fadila, je la connais déjà, de toute façon : « Plus *compréhensive* ? J'espère que tu plaisantes ! Que ce type ne te mérite pas, je n'en parle même pas, c'est évident. Je ne te jette pas la pierre, on fait toutes ce qu'on peut. Rencontrer quelqu'un d'un peu bien, ce n'est déjà pas facile. Mais que tu le confortes dans son impolitesse et dans son manque de respect en le rappelant pour t'excuser, là, je t'interdis, ma chérie. Qu'il réfléchisse un peu, ce crétin, à la chance qu'il a d'être tombé sur une fille comme toi. Ne le rappelle surtout pas, hein, ça lui fera les pieds. Ou tu auras affaire à moi. »

Je pense : Est-ce l'un des symptômes d'une relation minable que d'y laisser son amour-propre ? Et je me force à ne pas rappeler Alain. Puis, dans la soirée, son texto. Passé le stade de la désagréable surprise, je me demande sérieusement où peut bien se nicher mon vice de fabrication pour que même un nigaud comme lui ne trouve pas de bonnes raisons de vouloir rester avec moi. J'ai de nouveau envie d'appeler Fadila, Sabine ou ma mère. Mais, ce coup-ci, ce serait pour leur dire : « Arrêtez pour une fois de m'oindre de vos compliments, arrêtez de vouloir à tout prix me ménager. Arrêtez le bullshit et parlez-moi cash : *Qu'est-ce qui cloche chez moi ?* Pourquoi suis-je, à la fois, incapable de m'attacher à un mec et incapable de le garder ? »

Au bout du compte, j'ai surtout la sensation d'avoir perdu plus gros que prévu au terme d'une partie dans laquelle je n'avais pourtant rien misé, et où j'étais donnée grande favorite au départ. Le texto d'Alain m'inspire quelque chose de l'ordre du déloyal, du coup sous la ceinture ou du coup de poing donné à l'adversaire pendant qu'il a le dos tourné. J'ai soudain une envie démangeante d'attraper mon portable et de l'appeler. Et, s'il ne décroche pas, de recommencer jusqu'à ce qu'il réponde, de laisser sonner une demi-heure, une heure s'il le faut, juste afin de rétablir la vérité, même s'il est trop tard, même si le mal est fait. Juste pour l'honneur, j'ai envie de lui dire : « Sais-tu qu'il suffirait que j'insiste un tout petit peu pour que tu reviennes comme un toutou ? Un coup de fil, un peu de tchatche et de fausses larmes et hop ! dans la poche ? Sais-tu que je possède les mots et la malice pour cela ? Sais-tu que, si je ne le fais pas, c'est que *je* juge que *tu* n'en vaux pas la peine ? Sais-tu qu'en ne prenant pas la peine d'insister, c'est *moi* qui te quitte, et pas le contraire ? La peine de t'expliquer ça, je ne la prendrai pas non plus, tout comme je ne prendrai pas celle de te faire l'inventaire de toutes tes indélicatesses, depuis un mois et demi que nous nous *fréquentons* (voici un verbe presque trop joli pour nous, tiens) : tu ne m'as pas invitée *une seule fois* quelque part. Je ne parle même pas de restaurant, hein, mais d'un simple jus Pago à trois euros cinquante au café du coin. Pas une expo, pas un spectacle, pas un ciné, pas une initiative, rien. Pas un bouquet de fleurs, pas une rose. Pas même une pomme rapportée de chez Carrefour Market, moi qui t'ai dit cinquante fois que j'adorais ça, les fruits. Je ne t'ai jamais rien dit non plus de tes vêtements de sport qui sentent encore la sueur sous les manches même au sortir de ma machine à laver, ni de tes poils qui traînent toujours dans la baignoire après ta douche, ni des résidus brunâtres que tu ne prends pas la peine de brosser après un passage prolongé dans mes W.-C. Et, bien sûr, je ne parle pas de la qualité grammaticale et orthographique de ton dernier SMS. Que tu ne sois pas en mesure d'accorder au pluriel le participe passé du verbe *laisser* ou que tu omettes la conjonction *que* après *je pense*, je peux très bien le concevoir te concernant, on ne peut pas non plus demander l'impossible à n'importe qui. En revanche, où et quand a-t-on jamais imaginé que *discussion* prenait un *t* aussi pompeux ? Quant à ta *chemise* et tes *magazines*, si je t'en voulais vraiment, je te dirais que t'en soucier dans un moment pareil est bien à la mesure de ta mentalité de petit épargnant. Et si j'étais rancunière, tu irais les récupérer au pied de l'escalier de mon immeuble après mon départ pour le boulot, quand bon me semblera à *moi*. Mais, encore une fois, je n'ai rien à te faire payer puisque tu ne m'as rien volé que quelques mots de rupture (même ce lyrisme en toc, tu ne le mérites pas). »

Recomposer mentalement cette mésaventure pour mieux la déconstruire : c'est à cela que, malgré la mer et le soleil, j'avais consacré mes dix jours de vacances en Tunisie. Parce qu'il n'y a rien à faire, même les chagrins d'amour sans fondement sérieux te collent au cerveau, et tu ne peux compter que sur le temps pour les effacer. Lorsque je tentais de prendre un peu de hauteur pour tenter d'oublier Alain, je méditais des poncifs de salon de coiffure : Pourquoi une femme seule, cela paraît toujours plus irrémédiable qu'un homme seul ? Pourquoi une femme semble *subir* sa solitude alors qu'un homme donne plutôt le sentiment de l'avoir *choisie* ? Pourquoi parlera-t-on de *compensation par le travail* si une femme célibataire réussit professionnellement ? *Amoureuses d'hommes pas aimables et malheureuses sans hommes : les femmes sont seules deux fois.* Au plus fort de mes rechutes, je pouvais en venir à de scandaleuses conclusions.

« Pourquoi repenser à Alain alors que je suis sur le point de retrouver Pierce ? » J'ai coupé l'eau de la douche, glissé la main dans mon gant exfoliant, versé du savon liquide dessus et commencé à frotter énergiquement mes membres, mes épaules, mon dos, mes fesses et mon ventre. Autant pour adoucir ma peau qu'afin de me revigorer après vingt-quatre heures de voyage presque sans dormir depuis Paris. Toujours les mêmes rituels de beauté avant de retrouver un homme pour lui présenter mon corps. Toujours cette même ardeur à me faire belle pour lui, toujours les mêmes espoirs reconduits que l'homme en question s'en émerveillera alors que, la plupart du temps, il ne commentera rien parce qu'il ne se rendra compte de rien. Peau rêche ou veloutée, jupe ou pantalon, tons sombres ou couleurs, talons ou baskets, string ou shorty, tissage ou cheveu naturel, collier ou bracelet, demi-créoles ou pendants d'oreilles, fond de teint ou pas, mascara ou pas, rouge à lèvres ou pas, parfum ou pas : au fond, quelle différence cela fait-il lorsque (je caricature à peine) c'est essentiellement à tes seins et à ton entrejambe qu'on en voudra ?

« Tu t'en fous, c'est pour *toi* que tu le fais, pas pour lui. Si lui ne se rend pas compte, eh bien tant pis. Dans l'affaire, c'est toi la confiture et lui le cochon. » C'est la position officielle de Fadila sur le sujet, même si elle est la première à se plaindre de l'indifférence de Cyril lorsqu'elle revient de chez le coiffeur ou d'une séance au hammam. Dans mes phases d'optimisme, je préfère encore les tirades façon *développement personnel* de Sabine : « En fait, ils la perçoivent, la différence, les mecs. Mais c'est juste qu'ils ne l'expriment pas. Chez eux, c'est au niveau du subconscient que ça se passe. Ils ressentent mais ne le savent pas. Ce sont des mecs, ne l'oublions pas, ils sont plus grosso modo que nous, ils ne formulent pas et ils ne commentent pas. Ce qui ne signifie pas forcément qu'ils s'en foutent. Fais-toi confiance, Géralde, fais confiance à ton intuition, à ce qui te paraît juste. Et, surtout, à ce qui te fait plaisir. Ce qui *fait sens* pour soi fait sens pour les autres à leur insu, c'est dans les ondes et l'énergie que tu dégages, ce sont des informations qui s'inscrivent dans un espace invisible, c'est une loi de la nature. Les soins, les fringues, le maquillage : chaque détail s'ajoute aux autres et prend sa place dans un ensemble qui ne ressemble qu'à toi. Et ça, même s'il est frustrant de ne pas entendre ton mec relever tous les efforts que tu fais pour *lui* plaire, même si tout ça a l'air de complètement lui passer au-dessus de la tête, ça, crois-moi, ton mec, il le sent. Et il finira toujours par s'en montrer reconnaissant d'une façon ou d'une autre. Au pire, c'est lorsque tu le quitteras qu'il s'en mordra les doigts. Parce que c'est là qu'il se rendra compte qu'il ne lui manque pas seulement une personne, mais aussi tous ces petits efforts de beauté qui allaient avec. »

« Est-ce le signe que je n'aime pas assez Pierce que repenser à mon histoire avec Alain, six mois après notre rupture et avec cette émotion disproportionnée ? » Je ne suis pas amoureuse de Pierce. Je ne l'aime pas, mais je l'aime bien. Mieux : je l'aime bien pour de bonnes raisons. J'ai prolongé la relation avec Alain comme on joue avec le feu : moitié par désœuvrement, moitié par bravade. Afin d'explorer mes propres capacités de tolérance et de résistance, j'imagine, un peu comme avec Ferréol en 2013. Alain et Ferréol sont, chacun à sa façon, des primitifs plantés sans filtre dans leur tempérament et qui ne s'en cachent pas. C'est sans doute, sans me l'avouer franchement, ce que j'ai le plus aimé chez eux. Avec Pierce, rien à voir. Je détecte tout de suite chez lui le caractère conciliant et reposant quand mon collègue Fred nous présente l'un à l'autre, lors d'une pause déjeuner chez le traiteur vietnamien qui se trouve à côté de l'institut de sondages où je suis employée alors pour un remplacement de trois mois, du côté de Daumesnil. Avec Marie-Cécile, l'autre documentaliste intérimaire, nous venons d'entamer notre bò bún lorsqu'ils entrent dans le restaurant. « Hé, salut Lupita », me lance aussitôt Fred avec une nuance inhabituelle et dissonante de familiarité. Je viens de rejoindre l'équipe, nous ne nous connaissons que depuis quinze jours, lui et moi. Mais il tient manifestement à montrer à ce type qui l'accompagne combien il est à l'aise avec tout le monde sur son territoire. Je le fixe pendant deux secondes en silence, comme pour lui signifier : *À quoi tu joues, là ? Tes tentatives de coolitude, pas sur mon dos, s'il te plaît.*

« Pourquoi m'appelles-tu comme ça ? » je lui demande calmement mais sans sourire, en inversant dans ma tournure le verbe et le sujet afin de lui intimer une distance plus respectueuse à mon égard. « Tu sais pourtant très bien que je ne m'appelle pas Lupita. » Tout en s'asseyant d'autorité à notre table, Fred affecte un air étonné, limite piqué, du genre : *Hé, rentre tes griffes, hein. Je ne t'ai rien dit de méchant, là. Alors, please, pas de parano.* Mais tout en mesurant au fond parfaitement la nature du rapport de force qui est en train de s'établir entre lui et moi : il a un penchant dominateur et je ne me laisse pas faire. C'est à partir de ce type d'échanges cryptés que se détermine l'essence de ta relation à un individu : je *sais* à partir de cet instant à qui j'ai affaire avec Fred. Il *sent* que je le sais, nous *savons* l'un et l'autre que l'autre *sait*. Mais nous choisissons quand même de ne rien en dire et de conserver tant bien que mal une harmonie de façade. Parce que, travaillant l'un et l'autre au sein de la même entreprise et dans le même service, nous sommes jusqu'à nouvel ordre contraints de nous entendre.

« Je t'appelle comme ça parce que je trouve

que tu ressembles à Lupita Nyong'o, l'actrice. Tu vois qui c'est ? C'est elle qui joue dans *Twelve Years a Slave*. » Il a prononcé *Touèlvyèrzeuslève* d'un seul tenant, à la française, sans complexe. Il ajoute, magnanime : « C'est un compliment, elle est plutôt canon, Lupita Nyong'o. » Je me tourne d'instinct vers Marie-Cécile, qui est réunionnaise. D'un seul regard, nous nous sommes comprises, l'une et l'autre : *Laisse tomber. Pointer leur condescendance qui ne dit pas son nom, tenter de la leur démontrer, ce serait trop fastidieux, ils ne comprendront jamais. Ou feront toujours semblant de ne pas comprendre. Non seulement ils se permettent de t'apostropher depuis l'autre bout d'une pièce comme on s'adresse à un valet, sans qu'aucune affinité entre vous ne le justifie. Mais ils s'autorisent en outre à ton sujet des analogies arbitraires en se posant d'emblée comme des parangons du jugement et du bon goût. Qui donc se risquerait à les soupçonner de racisme, ouverts d'esprit comme ils le sont ? Étant blancs, rien ne les oblige en effet à connaître* Twelve Years a Slave, *ni Lupita Nyong'o (d'ailleurs, Fred te le demande : en as-tu seulement entendu parler, toi, concernée au premier chef que tu es ?). Rien ne les oblige non plus à te complimenter sur ta beauté. Chacun sachant que cela ne va pas de soi, la beauté chez les femmes noires, si un Blanc en juge une « canon » de temps en temps, c'est l'assurance que celle-ci l'est, pas de doute là-dessus. Alors, hein, estime-toi heureuse et ne la ramène pas trop. Parce qu'avec vos rancœurs obsolètes, à toi et aux autres, avec votre paranoïa et votre agressivité,*

ils finissent par ne plus savoir quoi dire ni ne pouvoir
rien dire, eux. À leur prêter sans cesse de mauvaises
intentions, à leur rappeler sans cesse l'esclavage, la
colonisation, la République française deux poids deux
mesures et les quartiers, vous les muselez, vous étouf-
fez dans l'œuf leur spontanéité. Et sans spontanéité,
il n'y a plus de rapports humains, vous savez. C'est
seulement de la méfiance, de l'éloignement et de l'hy-
pocrisie, qu'il reste. Bref, des barrières. C'est ça que
vous voulez : des barrières ?

« Oui, je connais Lupita Nyong'o », dis-je avec
une sobriété exagérée, tout en doutant que Fred
ait bien saisi mon ironie. Je voudrais lui laisser
entendre par là qu'en se lançant avec moi sur
le terrain du cinéma afro-américain et des per-
sonnalités noires en général, il risque fort de ne
pas faire le poids. « Je ne vois vraiment pas le
rapport avec moi, mais bon. » « Ah, si ! » persiste
Fred avec autorité. « Je suis désolé, mais tu lui
ressembles : les yeux, les lèvres, le nez... C'est
complètement ça ! Sauf la coupe, peut-être. Ce
sont tes vrais cheveux, d'ailleurs ? » Sans attendre
ma réponse, il se tourne vers le garçon blond
qui l'accompagne et le prend à témoin : « *Don-*
tioueugri, Pierce ? Lupita Nyong'o : *dontioussinngke*
chilouksseulaïkeur ? » Il a formulé sa question en
me pointant du doigt d'une façon que je trouve, à
nouveau, fort déplaisante. Mais mon agacement
initial s'est dissipé, les gesticulations de Fred ne
regardent désormais plus que lui tout seul.

Le Pierce en question a l'air relax des
Anglo-Saxons, lesquels semblent parfois flotter

au-dessus des médiocrités de ce monde, à plus forte raison lorsque les échanges autour d'eux se déroulent dans une langue dont ils ne saisissent pas le moindre mot. « Euh », hésite-t-il en se grattant brièvement le front de l'index. « Je ne connais pas cette personne. C'est une actrice, c'est ça ? » Il parle anglais avec une intonation particulière. Je n'ai plus en tête tous les accents qu'on nous entraînait à identifier lors de mes cours de préparation du TOEFL, mais je dirais que le sien est australien. Des Anglo-Saxons, il a aussi cette peau détergée caractéristique, incompatible avec le soleil. Mais j'aime l'expression de son visage. Il y a quelque chose d'un dessert sur ce visage, une recette où interviendrait un ingrédient doux et parfumé tel que la fleur d'oranger. C'est en tout cas la première saveur qui me vient à l'esprit, la fleur d'oranger. J'aime aussi le fin coton de sa chemise sous sa doudoune, les minuscules losanges rouges et gris qui en constituent le motif, les boutons de nacre noire qui ressortent par contraste et la façon dont son col ouvert libère sa pomme d'Adam, saillante mais pas trop. Et puis, c'est ridicule, je sais, c'est *cliché*, je sais, mais c'est un blond aux yeux clairs. Et je mentirais en disant que ça m'est égal. Je peux aimer et j'ai aimé dans ma vie des types d'hommes très différents. Je ne fais pas de fixation sur un genre en particulier, je m'estime plutôt ouverte en général, comme fille. Mais, les blonds aux yeux clairs, c'est spécial, j'ai un faible. Cela doit avoir un rapport avec les canons de beauté faciles, ceux des pubs et des magazines, les acteurs américains, Hollywood, le mythe du Viking, Thor, tout ça. Un truc du Ken de Barbie, sans doute, une imagerie un peu naïve de blés, de soleil, de plage et de surf. De *pureté*, comme on dit stupidement. Un rêve de petite fille.

« Fantasme typique de meuf noire complexée, quoi », m'avait sorti quand j'avais vingt ans Omar, le grand frère d'Aïssatou. C'était à la pizzeria. Aïssatou avait aussitôt mis à la bouche la paille de son Coca Zéro et s'était mise à aspirer le plus lentement possible pour ne pas avoir à donner son avis. Elle ne l'aurait jamais avoué devant son frère parce qu'elle aimait passer officiellement pour une puriste de la *cause* en matière de garçons. Mais je sais qu'il y avait eu deux ou trois Blancs qui lui avaient plu, à l'époque, à la fac. Notamment Yohan, un blond insipide sans lèvre supérieure qui possédait pour unique atout une épaisse tignasse. Je me souviens, elle n'arrêtait pas de chercher mon approbation : « Il est beau, Yohan, hein ? » Et moi, je lui répondais invariablement que c'était un *crétin kératiné*. Ou, index en l'air, comme un mantra, qu'il ne fallait pas confondre *Apollon* et *Un pileux*. J'avais même précisé une fois : « Il est con comme un bouillon, ton blond. » À quoi Aïssatou avait répondu le plus sérieusement du monde : « C'est con comme un *boulon* qu'on dit, pas comme un *bouillon*. »

« Meuf *noire*, ça oui, je confirme. Mais *complexée*, franchement, je ne pense pas. » Voilà ce que je m'étais contentée de répondre à Omar (lequel, en passant, ne mettait plus que des pantalons à pinces et ne sortait plus qu'avec des Blanches depuis qu'il avait validé ses deux années d'école hôtelière). J'avais tranquillement terminé ma margarita et nous avions changé de sujet. Mais sa phrase avait continué de résonner dans ma tête pendant le reste de la journée et au cours des jours suivants. Rien de plus traître qu'asséner en toute tranquillité à une fille qui ne t'a rien demandé que, sous ses apparences enjouées de bonne copine, elle est un gouffre de doute et de fragilité. C'est un poison lent qui se répand progressivement dans ton cerveau et qui doit son efficacité à cette faille naturelle chez la plupart des êtres humains : on aime se faire plaindre. Et se faire dire par autrui qu'on va mal fait davantage d'effet que se faire dire qu'on va bien, c'est comme ça, nous sommes comme ça. Il m'avait fallu plusieurs jours pour me rendre à l'évidence : complexée, *moi* ? Complexée par quoi, d'abord ? Ma couleur de peau, c'est ça ? Je ne dis pas qu'il ne m'arrive pas d'imaginer qu'il doit être beaucoup plus simple d'être blanche, dans la vie de tous les jours. Lorsque je dois me coiffer. Ou lorsque j'ouvre un magazine féminin. Ou lorsque je regarde les petites affiches publicitaires à la parapharmacie. Lorsque, dans le métro, ou sous les abribus, où que tu portes les yeux, on te dit du matin au soir qu'une belle peau doit être *laiteuse* comme ci ou *bronzée* comme ça. De beaux cheveux, *châtains* comme ci ou *blonds* comme ça, *lisses* comme ci ou *ondulés* comme ça. De beaux yeux, *bleus* comme ci ou *verts* comme ça. Lorsqu'on te parle de collants *couleur chair* au rayon sous-vêtements du supermarché. *Chair* de qui ? En somme, chaque fois que je dois me rendre à l'évidence que la beauté est blanche et rien d'autre.

En conséquence, tu es un peu lassée de te faire régulièrement dire, en tant que femme noire, que tu rappelles toujours aux gens *quelqu'un d'autre*, en général une sportive ou une chanteuse : « J'ai l'impression de vous avoir déjà vue quelque part. » « Vous ressemblez beaucoup à une très bonne amie à moi. Il faut que je vous montre une photo d'elle, c'est incroyable. » « Vous ne chantez pas, par hasard ? » « Avec le corps que vous avez, vous devez être sportive, non ? » Un peu assez, d'être régulièrement qualifiée de *féline*, d'inspirer spontanément les mots *tigresse, lionne* ou *panthère* : « Faut pas se vexer comme ça, faut pas le prendre mal comme ça. C'est un compliment, vous savez. C'est beau, une panthère, ça a du caractère, c'est puissant. » Les mots *puissant, liane, perle noire, étoile noire, black, ébène, chaude, caliente, pulpeuse* : marre.

Je ne dis pas non plus qu'il ne m'arrive pas moi-même, parfois, d'imaginer toucher une femme blanche. Ses cheveux, sa peau. Les seins aussi. Comme ça, juste pour voir, par pure curiosité. Je ne dis pas que je ne trouve pas cela émouvant, parfois, du fin duvet blond dans le bas du dos d'une Blanche au soleil. Mais, à part ça, non, je ne vois pas trop. Ma peau impeccable et douce, toujours crémée, sans taches ni boutons, la ligne de mes épaules, mon cou, mes fesses, mes cuisses, mon visage : aucune envie de changer quoi que ce soit à tout cela, qui se trouve être parfaitement proportionné et parfaitement à sa place, merci. Juste mes seins, peut-être, auxquels je rajouterais volontiers une ou deux tailles de bonnet, mais pas plus. Quant aux hommes, le fait que je sois noire ne semble pas les avoir fait reculer, loin de là. À part les hommes noirs, peut-être. À part tous ces types comme Omar qui aiment tant donner des leçons de négritude aux filles comme moi, sans doute trop bien dans leur peau pour leur plaire. Une *sister* comme moi, pas maquillée comme un sapin de Noël et qui n'a pas sa langue dans sa poche, ça écorne les ambitions donjuanesques d'un Omar, tu comprends. Résultat : une Blanche pour le mariage, et les *niafou*, les poupées du quartier, pour les coucheries en cachette. Ça se prétend haut et fort sénégalais quand la France rencontre le Sénégal au foot, mais il ne parle pas un mot de wolof, Omar. Moi, j'aime peut-être les blonds aux yeux clairs, une cantate de Bach ne me fait pas fuir et je me ressers volontiers en fritons de canard si l'occasion se présente. Je suis peut-être l'archétype de la *bounty* selon un Omar, je *whitise* peut-être à qui mieux mieux. Mais je peux parler ewondo avec ma mère et ma tante, moi, lorsque les circonstances le réclament. Et je ne me force pas à davantage aimer

Cabrel que Charlotte Dipanda, la choucroute que le folong, les cache-cœurs que le kaba et les blonds à yeux clairs que les nègres à cornrows. Les blonds à yeux clairs, je les aime comme j'aime les croissants au beurre, la dune du Pilat ou les bottes de foin roulées dans les champs, l'été. Je les aime comme j'aime le bobolo, les chutes de la Lobé ou la canopée aperçue au crépuscule depuis certaines des sept collines de Yaoundé. Alors, personnellement, là-dedans, le complexe, moi, je ne le vois pas.

Pierce, donc : « Je ne connais pas cette personne. C'est une actrice, c'est ça ? » J'approuve en affectant un air découragé qui voudrait signifier : *Fred n'a rien compris, mais que voulez-vous que j'y fasse ?* Il m'adresse un clin d'œil et ajoute : « Is Frédéric surrendering to some kind of an *All Chinese People Look the Same* syndrome ? » *Frédéric serait-il en train de succomber à un syndrome du genre Les Chinois ont tous la même tête ?* J'éclate de rire. Intuition, finesse, ouverture d'esprit, désamorçage par l'humour d'une tension naissante : ce type a tout compris. À côté, je sens Fred se sentir un peu bête. Pierce fait bien une demi-tête de plus que lui et donne l'impression que la vie n'est qu'une longue partie de bonne humeur. Par contraste, Fred paraît racorni et fiévreux. L'un fait penser à un oiseau migrateur de vaste envergure. L'autre, à un coq de basse-cour.

La complicité née entre Pierce et moi de ce

simple échange se poursuit au cours du déjeuner chez le traiteur vietnamien. Les jeux de séduction rendent égoïste. En cherchant à tout prix à prolonger la joyeuse fluidité de mon dialogue avec Pierce, en faisant ma maligne pour plaire à ce Pierce, je néglige Marie-Cécile. Au moment où les garçons sont arrivés, elle me confiait pourtant son angoisse, à trois jours du jugement pour recel de l'un de ses frères au tribunal de grande instance de Saint-Pierre. Quant à Fred, naturellement mis hors jeu par le charisme tranquille de Pierce, il s'est rabattu sur ses nems et ses brochettes de poulet, qu'il mastique en silence tout en consultant un site de vente de véhicules d'occasion sur son Samsung. Pierce tente bien parfois de le réintégrer à la conversation d'un appel du regard. Mais je prends un cruel plaisir à l'accaparer de plus belle en l'inondant de questions de mon accent *british* le plus soigné. Quel bonheur de se lâcher en anglais dans un pays où prendre l'accent sans justification valable t'attire en général davantage de moqueries que de compliments. J'apprends ainsi que Pierce n'est pas australien mais néo-zélandais. J'évite de faire allusion aux trois-quatre clichés que m'inspire le nom *Nouvelle-Zélande* : le *haka* des All Blacks, les tatouages maoris, les kiwis qui sont aussi bien le nom des fruits que des habitants de Nouvelle-Zélande, les paysages de la trilogie du *Seigneur des anneaux*. Et aussi, en me concentrant bien, ce séisme dans une ville dont je ne me souviens plus du nom, il y a quelques années. Pour paraître spirituelle et taquine, je lui demande à la place l'effet que ça fait, de se faire appeler par le nom d'un *petit fruit poilu vert trop souvent acide à l'intérieur*.

« Le *kiwi* auquel on fait allusion lorsqu'on parle des Néo-Zélandais ne fait pas référence au fruit mais à une espèce endémique d'oiseau », me répond Pierce en agitant son sachet d'Earl Grey dans la minithéière d'eau chaude déposée sur la table par le gérant du restaurant. *Endemic Species*. « Le fruit, lui, vient de Chine à l'origine. » J'aime la simplicité et la précision avec laquelle il explique les choses. On a le sentiment qu'il te montrerait comment faire du feu à partir de bois sec et de brindilles avec le même naturel. *However*, poursuit-il en ôtant ses doigts de l'anse bouillante de la théière en métal, « il existe une variété particulière du fruit qui est développée et produite en Nouvelle-Zélande : le *golden kiwi* ». Il attrape une serviette en papier pour saisir l'anse de la théière sans se brûler et relève ses yeux bleu beau fixe dans les miens : « Celle-ci n'a pas de poils et son goût est beaucoup plus sucré. » Une image se forme toute seule dans mon cerveau tandis que Pierce verse le thé dans sa tasse : celle d'un sexe d'homme glabre, vert et rond comme un kiwi. Je réprime un sourire et répète en hochant la tête : « *Pas de poils et beaucoup plus sucré* : j'en ai l'eau à la bouche. » *Mmm, mouth watering* : je suis fière que l'expression me soit revenue aussi rapidement en mémoire.

Pierce me regarde, hésite. Il doit être en

train de se demander si mes mots cachent des insinuations d'ordre sexuel. Je m'inquiète : contrairement à ce que leur cinéma et leur télévision nous laissent imaginer, je sais bien que les Anglo-Saxons peuvent individuellement se révéler assez réticents aux allusions graveleuses, voire s'en montrer outragés. Je m'en voudrais d'incarner aux yeux de ce garçon si délicat et si poli le symbole de la Française qui n'a pas froid aux yeux. Pire : de le conforter dans l'idée que se font tant d'hommes blancs que les femmes noires sont des obsédées sexuelles. J'ai brusquement envie de lui dire : dans ce pays, tu sais, ce sont les Blancs les grivois, pas les Noirs. Enfin, pas ceux d'origine africaine en tout cas. L'humour paillard, façon *Bronzés* ou *Le père Noël est une ordure*, c'est avant tout la culture des Blancs. Lorsque ces choses-là sont retransmises à la télé, au sein des familles françaises venues d'Afrique, on change de chaîne pour ne pas perturber les enfants avec des dialogues construits à coups de *Oh putain !* et avec des paires de seins nus et des poils pubiens qui surgissent toutes les trois minutes à l'écran. Les yeux de Pierce s'attardent dans les miens une fraction de seconde de trop, ce qui justifierait mes craintes. Puis il baisse la tête, porte la tasse de thé à ses lèvres et en avale une gorgée dans une esquisse de sourire : l'ambiguïté de notre dialogue l'amuse aussi, ouf.

Marie-Cécile, qui ne maîtrise pas suffisamment l'anglais pour prendre part à la conversation, finit par se lever puis sortir après avoir déposé sans un mot un ticket-restaurant sur la table. Fred, calmé par mon niveau d'expression, lance désormais dans ma direction de brefs coups d'œil empreints de respect. Pierce ne pose pas davantage de questions qu'Alain. Mais au moins possède-t-il le talent de parler de lui-même avec enthousiasme, sans se plaindre. Il m'explique que c'est par l'intermédiaire du site couchsurfing.com qu'il a fait connaissance de Fred, lequel l'héberge à Fontenay-sous-Bois pour ses dernières nuits en France avant son retour en Nouvelle-Zélande, où il s'apprête à retrouver sa famille pour Noël. Après une première OE (*Overseas Experience*) de neuf mois en Asie du Sud-Est à vingt-trois ans, il est en train d'achever à trente et un ans sa seconde, plus courte, en Europe. « J'ai commencé en septembre par Londres, comme tout bon sujet de la reine d'Angleterre. Puis j'ai fait la Belgique, l'Allemagne, l'Autriche, le Monténégro, la Slovaquie, la Hongrie, la Grèce, la Croatie, l'Italie, la Suisse. Et je termine par la France : il y a pire, non ? » *France is my wow finish.* Un : la générosité de Fred, qui l'héberge, le fait remonter dans mon estime. Deux : je ne peux m'empêcher de penser que Pierce a beau être né à l'autre bout du monde, faire défiler tous ces noms de pays comme une collection kaléidoscopique de cartes postales et décrire par le menu les chocs culturels successifs auxquels il a été confronté, sa couleur de peau ne le fera jamais se sentir dans aucun d'entre eux aussi étranger qu'un fils ou qu'une fille d'immigrés maliens ou marocains nés et grandis en France. S'amuser de perdre ses repères est un luxe de Blancs.

« Europe is just... wow. » Tout compte fait, rien de très original dans son expression ni dans ses remarques. Beaucoup de *wow*, de *I was like* et de *awesome*. Je me suis peut-être emballée un peu vite à son sujet. Mais, c'est ainsi, les platitudes ont toujours l'air plus profondes en anglais. De la même façon, les routards ne m'ont jamais fait rêver. Mais la décontraction élégante de Pierce, sa retenue et sa pudeur : tout cela élève le débat. Sa présence diffuse dans l'air de ce restaurant une forme de légèreté, un horizon limpide qui me laisse rêveuse malgré tout. À la fin du déjeuner, alors que nous nous apprêtons, Fred et moi, à regagner le bureau, et Pierce le métro pour se rendre dans je ne sais plus quel musée du Marais, je me tourne vers lui et me lance : « Pardon de me mêler de ce qui ne me regarde pas, mais tu n'en as pas un peu marre, de Fontenay-sous-Bois ? » Je fronce les sourcils, pointe Fred de l'index, simule une agressivité indignée : « Si sur son annonce de couchsurfing ce gars t'a fait croire qu'il t'hébergeait à *Paris*, eh bien il t'a arnaqué. » *He ripped you off.* « Paris, c'est pas ça, c'est pas Fontenay-sous-Bois. Tu connais la rue Brochant ? »

Pierce, ne sachant si je plaisante ou si je m'emporte pour de bon, secoue la tête. Je poursuis : « La rue Brochant : sa situation excentrée, ses cafés pas très accueillants, ses crottes de chien sur les trottoirs, zéro monument, zéro musée, zéro salle d'expo et zéro cinéma. La rue Brochant : son dispositif spécial anti-touriste néo-zélandais en *Overseas Experience* : quoi de plus authentique que du 100 % impersonnel ? » Il rit, Fred aussi. J'inspire un bon coup et, me moquant bien de ce que pourra en penser Fred, d'un ton aussi naturel que possible, je propose dans la foulée à Pierce d'échanger le canapé de Fred contre ma méridienne pour un soir, visite du quartier et verre compris. Ce qu'il accepte après un instant d'hésitation et un regard interrogateur en direction de Fred, mais sans que je sache si c'est parce qu'il n'ose pas refuser ma proposition ou s'il en a vraiment envie. Et, surtout, je me demande s'il a bien saisi la part tout à fait intéressée que comporte ma proposition : dans ce domaine-là, les arrière-pensées diffèrent tellement d'une culture à l'autre.

En début de soirée, j'ouvre donc la porte de mon studio de la rue des Épinettes à Pierce et son gigantesque sac de randonnée (*75 litres*, précise-t-il en constatant mon effarement). Moins de deux heures auparavant, je suis rentrée aussi vite que possible du bureau pour un appoint de ménage de mon petit deux-pièces, salle de bains et kitchenette comprises. Dans mon élan, j'ai changé les draps de mon lit, pris une douche, je me suis crémée, appliqué un trait d'eye-liner sous les yeux et, n'ayant pas eu le temps de prendre rendez-vous chez l'esthéticienne, je me suis rasé vite fait dans ma baignoire pubis et grandes lèvres.

Pour ne pas lui donner l'impression d'un guet-apens, je propose à Pierce de descendre immédiatement, comme promis, à la découverte de l'« exemplaire banalité » de mon quartier. En anglais, ce n'est pas compliqué, les mots sont les mêmes : *Let me show you now the exemplary banality of my neighbourhood.* Nous prenons la rue de la Jonquière puis remontons la rue Sauffroy jusqu'à la station de métro Brochant, point de départ de mon itinéraire touristique. J'improvise un premier commentaire sur le café qui fait l'angle avec l'avenue de Clichy : « La brasserie parisienne type de quartier : mobilier de mauvaise qualité et de mauvais goût, éclairages pâlots, serveurs quinquagénaires français de souche politiquement orientés à droite, voire à l'extrême droite. Si tu préfères le lait de soja dans ton chocolat chaud ou dans tes smoothies, passe ton chemin, il n'y en a pas. Ni de smoothies, d'ailleurs. Si tu décides de commander à la place une orange pressée, il te sera apporté, littéralement, *une* orange pressée, avec une carafe d'eau du robinet à goût de javel pour en augmenter le volume si *une* orange ne te paraît pas suffisante, et aussi une dosette de sucre en poudre au cas où cette *unique* orange s'avère trop acide. Si, par désespoir, tu demandes de l'eau minérale, sache que c'est autour de cinq euros la bouteille de 25 centilitres et qu'on te l'apportera d'office avec une rondelle de citron. Si tu n'aimes pas le citron avec l'eau, c'est avec les doigts qu'il te faudra préalablement l'ôter du fond du verre long et étroit généralement désigné dans ce genre d'établissement pour le service de l'eau minérale. Une parenthèse : le Coca aussi est d'autorité servi avec une rondelle de citron. »

L'état d'esprit dans lequel je suis en train d'entamer ma visite a l'air de plaire à Pierce, qui rigole. Un peu plus loin, la station de taxis me laisse en panne d'inspiration, tout en me donnant quand même envie de faire un commentaire : « Que te dire d'intéressant sur les taxis parisiens, hormis qu'ils sont devenus beaucoup plus sympas depuis l'arrivée d'Uber ? Exemple : désormais, ils ne se permettent plus de faire semblant de ne pas t'avoir vue leur faire désespérément signe depuis ton petit bout de trottoir, à trois heures du matin, par zéro degré, en hiver, de préférence lorsque tu as une fièvre de cheval et une envie de faire pipi aussi urgente que l'éruption du Pinatubo. Ils sont devenus prévenants avec les gens au point que l'image du chauffeur de taxi, seul à son volant en quête désespérée de client, est devenue aussi déchirante qu'un ours en peluche abandonné. » *Heartbreaking as an abandoned teddybear.* Je me trouve très médiocre sur ce coup-là, même s'il faut reconnaître que la métaphore passe beaucoup mieux en anglais, tout comme l'effet d'accumulation de détails imagés pour exprimer l'aspect comique d'une situation donnée. Pierce, lui, en tout cas, est hilare. Finie sa subtile distance anglo-saxonne. Dans ses yeux, il y a une attente avide, comme dans ceux d'un spectateur aimanté par un bon comique sur scène.

Quelques mètres plus loin, je fais halte devant une borne anti-stationnement. Ma paume à plat sur le bout arrondi de l'objet, je lui dis : « Tu sais comment ça s'appelle, ce truc ? » Il réfléchit : « A *small pole* ? A *post* ? A *bollard* ? » Puis finit par hausser les épaules en signe d'impuissance. « Un *potelet métallique anti-stationnement* », lui dis-je dans un français théâtralisant. J'ajoute : « Tu dois être en train de te demander pourquoi je prends la peine de te préciser un truc pareil. » Je dresse simultanément mon index, mon majeur et mon annulaire, comme j'ai bien noté qu'on fait dans les films américains pour compter : « Pour trois raisons. *Un* : parce que cette *chose* est un symbole on ne peut plus anodin du mobilier urbain parisien, le genre de détail omniprésent mais qu'on ne mentionne pas dans les guides touristiques. *Deux* : parce que, grâce à un travail que j'ai effectué pour un magazine de la Mairie de Paris, il y a quelques années, je fais partie des très rares personnes à savoir que ça s'appelle un *potelet métallique anti-stationnement*. Tout le monde sait à quoi ça sert. Mais demande à n'importe qui de t'en donner le nom officiel, *technique*, tu verras, personne ne saura. »

Joignant le geste à la parole, je laisse passer sur le trottoir un vieil Arabe et me penche très poliment vers un type en doudoune rouge qui promène ses deux chiens : « Pardonnez-moi, monsieur, mais nous menons une petite enquête : savez-vous comment s'appelle cet objet ? » Je désigne le potelet. Passé le bref effet de surprise, le type joue le jeu, bafouille, nous regarde tour à tour en nous interrogeant des yeux, Pierce et moi : « Je donne ma langue au chat. » Je lui livre la réponse, le type approuve avec intérêt, nous salue puis s'éloigne. « Tu vois, je t'avais dit : il ne savait pas. »

« You're crazy », s'émerveille Pierce, dont l'enchantement est croissant. « Et ta troisième raison ? Tu évoquais une troisième raison. » C'est toujours une récompense en soi, la manifestation de l'attention de quelqu'un qui ne pose pas de questions. Je lui souris avec reconnaissance : « La troisième raison, c'est que j'adore ces mots, tout simplement. Pour moi, toute la saveur et l'esprit de la langue française peuvent se retrouver dedans. D'abord, l'aspect précis, rationnel, de *anti-stationnement*. » Je détache lentement chaque syllabe : *an-ti-sta-tion-ne-ment*. « Et puis une poésie facétieuse, presque enfantine, dans *potelet*. » Je désigne à nouveau l'objet. « En anglais, vous dites *small pole*. Nous, on a un mot spécial pour signifier *petit poteau*, c'est *potelet*. Il se trouve que ce mot a un adjectif homophone qui signifie grassouillet. *Chubby*. Voilà : dans *potelets métalliques anti-stationnement*, il y a une volonté d'être pris au sérieux, mais contredite par la nature même des mots. Et ça, je trouve, c'est assez français. C'est pour ça que j'aime ce mot. »

Je ne sais pas s'il a saisi quoi que ce soit à ma démonstration, mais, peu importe, j'en suis satisfaite pour moi-même. Sur le trottoir d'en face, il y a une station Vélib'. Tout en traversant, je désigne l'un des vélos accrochés à sa borne : « Tu sais combien ça pèse, un vélo comme ça ? 22 kilos. » J'ajoute : « C'est en travaillant pour le même magazine que je l'ai appris. » Au niveau de la pharmacie, je sors mon téléphone portable, rentre quelques mots clés dans mon navigateur et prends un air triomphant en lisant les résultats de ma recherche : « C'est dingue ! J'ai tapé un peu au hasard et Google me confirme bien que le XVIIe arrondissement est celui qui compte le plus de pharmacies dans Paris : 85 ! Il n'y a que ça, des pharmacies, dans cet arrondissement, je te jure. Tous les cent mètres, tu as une pharmacie. » Dans mon enthousiasme, j'ai brièvement agrippé le bras de Pierce. « Ça te plaît que je te donne plein de chiffres inutiles, comme ça ? » Il approuve à grands mouvements de la tête sans chercher à dégager son bras. C'est bon signe, alors je m'offre le luxe de le relâcher moi-même.

En passant devant la boulangerie, je prends un air solennel : « Toujours dire *Bonjour*, *Merci* et *Au revoir* dans une boulangerie française, Pierce. Si tu veux te fondre dans la population de ce pays, c'est la base. La boulangerie, ici, c'est le lieu par excellence de la sociabilité instantanée. » Nous traversons de nouveau hors des clous pour nous retrouver cette fois devant la boucherie : « Pierce », je réitère dans un bel effet de symétrie, « toujours dire *Bonjour, Merci, Au revoir* ET *Bonne journée* dans une boucherie française. Si tu veux vraiment te faire aimer, ajoute *Bon courage*, même si personne parmi les employés ne s'est plaint de son sort. La politesse à l'excès, c'est la clé de ton intégration en France ». Je marque une pause : « Surtout si tu es noir. » Pierce me regarde avec cet air ambigu qui s'affiche en général sur le visage d'un Blanc face à un Noir en plein exercice d'autodérision : un tiers amusé, un tiers d'indignation, un tiers d'approbation coupable.

Un peu plus loin sur le trottoir, il y a la librairie-papeterie. En vitrine, quelques romans, dont un poche de *La Saison de l'ombre*, de Leonora Miano. Heureux hasard, comme le coup du nombre de pharmacies dans le XVIIe : « Cette romancière vient du Cameroun, le pays dont sont originaires mes parents. » Je lui livre l'information avec d'autant plus de spontanéité que Pierce, pendant tout ce temps, a eu le bon goût de ne pas me demander *d'où je viens*. « Ça te dit quelque chose, le Cameroun ? » Il réfléchit : « Lagos c'est au Nigeria. Accra au Ghana. Le Sénégal, c'est Dakar. Euh... Libreville ? » Un bon point supplémentaire pour Pierce : même s'il en a une perception essentiellement anglophone, il a en tête une cartographie éclairée de l'Afrique.

À la brasserie de la place Charles-Fillion, où nous dînons d'une salade paysanne pour moi et d'un croque-monsieur frites pour lui, ses deux pintes successives de Heineken ternissent un peu l'image exemplaire que je m'étais faite de lui jusqu'ici : poli, propre, pas rivé à son téléphone portable, pas de cigarette. Quant à l'alcool, je sais bien qu'il faut nécessairement en passer par là avec la plupart des mecs. Alors, je tolère, mais à un niveau raisonnable. C'est au-delà de deux verres de vin que je ne peux pas m'empêcher d'intervenir. Sans hystérie, très gentiment, mais j'interviens. C'est comme ça, je n'y peux rien mais je suis comme ça : un type qui tient vraiment à moi se doit de conserver un corps sain, de prévenir une mauvaise haleine et de rester sous total contrôle de lui-même après sa consommation d'alcool.

Avec Pierce, c'est un peu différent. Évidemment, hors de question de lui faire la moindre remarque puisque nous ne sortons pas ensemble. Mais le voir boire, même si cela ne me fait pas plaisir, ne provoque pas chez moi de sérieuse réaction de méfiance cette fois. Sans doute parce qu'il est étranger et qu'il émane de tous ses gestes un aplomb différent, plus incarné, plus naturel, plus crédible. Est-ce parce qu'il assume *culturellement* son goût pour la bière que je ne le regarde pas comme un type fragile ? De la même façon, le fait qu'il ne me pose pas de questions sur ma vie passe, là encore, beaucoup mieux en anglais. Qu'il ne s'intéresse pas à moi ne me gêne pas, tant m'habituer à son accent et lui parler dans un anglais vivant et nuancé accaparent toute ma concentration. Le dépaysement rend indulgent. Moi, en moins d'une heure, j'ai appris que son père se prénomme Craig et sa belle-mère Kathryn. Que sa mère vit à Sydney, où elle travaille pour une société qui fabrique des micro-éoliennes. Qu'il a sauté à l'élastique en smoking avec une bouteille de champagne à la main à l'occasion du mariage de son meilleur ami. Qu'il a un niveau de japonais suffisant pour déchiffrer les enseignes des boutiques à Tokyo et que, étant né un 29 février, il a fêté jusqu'à sa majorité son anniversaire deux jours de suite les années non bissextiles.

Côté professionnel, c'est un peu comme moi : beaucoup de choses, mais rien de vraiment consistant ni de très durable. Mais, encore une fois, tout comme le blond roux de sa barbe naissante et sa façon particulière de pincer les frites pour les tremper dans la mayonnaise et le ketchup, son CV sent bon le bout du monde : rien qu'au cours de ces deux dernières années, il a été tondeur de moutons dans une ferme bio de montagne dans l'île du Sud, barista dans un café-salon de coiffure, chauffeur d'autocar auprès de la Ville de Wellington pour l'accueil et le transport de réfugiés syriens, moniteur de parapente (*paragliding* en anglais) durant l'été austral. Bassiste remplaçant pour six mois au sein d'un groupe portant le nom de Sergio in Sierra Leone, aussi. Avant son départ pour l'Europe, il était en charge depuis quelque temps de la coordination des partenariats entre la principale université de Wellington et le Musée national, plus spécifiquement dans le cadre d'un programme de restitution par de grands musées européens de têtes maories momifiées. Derrière chacune de ces expériences, je devine le savoir-faire du gars possédant une bonne culture générale autant que des connaissances pratiques. Le type dégourdi, fiable, positif, convaincu et convaincant. Je me dis que, s'il a le profil du loser de base dans son pays, ça doit être drôlement chouette, la Nouvelle-Zélande. Au moment de l'addition, qu'il entend sagement partager alors que j'espérais qu'il m'invite, je ne peux m'empêcher de fredonner mentalement les paroles de cette chanson de Lauryn Hill qui m'ont toujours semblé écrites sur mesure pour caractériser mes relations avec les hommes :

> *Tell me who I have to be*
> *To get some reciprocity*

C'est lorsque nous sommes de retour à mon studio qu'une véritable conversation s'engage enfin. Tout en ôtant sa veste militaire et ses Converse, Pierce observe le salon avec attention et déclare aimer mon sens de la récup (*reclaimed materials*). Mon tapis de pelouse synthétique, ma *table à trois tables*, mes cactus en boîtes de conserve suspendus, ma bibliothèque de palettes, ma guirlande lumineuse de bal du 14 juillet épousant la plinthe et les bords de ma fenêtre, mon lustre à pampilles et glands de velours. Bref, toutes mes trouvailles et mes raccords bricolés à partir de trois fois rien, ça lui plaît manifestement beaucoup. « Le désordre de ton bureau est tellement… *meaningful* », sourit-il en retournant une carte postale *Baby Your Gun Is My Favorite Toy* coincée dans mon bougeoir début XXe en laiton. Il me regarde avec une nuance inédite d'intérêt, comme si jusque-là il ne m'avait pas vraiment prise au sérieux : « Tu es artiste ? »

Depuis que j'ai entendu sur la BBC un commissaire de la Tate Modern décréter qu'il y a ceux qui se prétendent *artistes* et ceux qui le sont sans éprouver le besoin de le mentionner, j'ai décidé de bannir ce mot de mon vocabulaire. « Disons que je m'occupe », ai-je pris l'habitude de répondre à la place de « J'aimerais bien ». Il s'approche de l'espace où est épinglée ma composition de *selfies en bleu* au Polaroid. « C'est toi qui as pris ces photos ? » J'approuve, un peu gênée, comme chaque fois qu'on me complimente sur ce collage. « Mais je n'ai rien inventé, tu sais. J'ai piqué l'idée à David Hockney. Tu connais David Hockney ? »

À cet instant, Pierce hoche la tête dans un lent mouvement pensif qui le rend très beau. Sans attendre sa réponse ni sans trop réfléchir, je désigne mon iPhone : « Tu permets que je te prenne en photo dans cette position ? » Puis je prends très vite quatre ou cinq snaps de lui. J'en profite pour les envoyer en douce par WhatsApp à Fadila en l'accompagnant de cette légende : *Qu'est-ce que tu en penses ?* Moins de trente secondes après, tandis que Pierce, tête penchée, fait halte parmi les livres de ma bibliothèque sur ceux dont la tranche est imprimée en anglais, Fadila me répond ceci : *Toute musulmane que je suis, je veux le même pour Noël.* Puis, dix nouvelles secondes plus tard : *Fonce.*

Pourtant, rien ce soir-là entre Pierce et moi ne favorise vraiment l'initiative d'un baiser sur ma méridienne. Sous ses airs décontractés, il y a quelque chose chez lui de trop pudique, à la frontière de la rigidité, qui me tient à distance. Est-ce à expliquer par sa culture, en tout point étrangère aux codes français de séduction ? Bref, impossible de m'endormir une fois seule dans mon lit, peu avant minuit. De savoir Pierce allongé dans la pièce d'à côté m'électrise à m'en rendre moites les paumes des mains. J'ai la sensation que c'est à l'intérieur de mon crâne que mon cœur est en train de battre. Cela fait près de cinq mois que je n'ai pas fait l'amour, exagérément découragée et inhibée par mon histoire avec Alain. Par moments, je suis tentée de réinstaller Tinder sur mon smartphone. Mais je tiens bon dans mon sevrage. Parce que Tinder, je connais par cœur, c'est comme le McDo : tu salives avant et tu regrettes après. Sensation que tu n'aurais pas dû, que tu fais du mal à ton organisme. Ce schéma se vérifie neuf fois sur dix. L'expression de ma libido se résume désormais à deux ou trois masturbations par semaine, parfois davantage. Les films X m'ont toujours laissée parfaitement froide. C'est glauque et monotone. Mais j'ai quand même copié sur un site un lien auquel j'ai recours dans les pics de solitude. Rien pourtant de très extravagant pendant ces quelques minutes de plan fixe et sans son d'un type noir en train de prendre en levrette une Blanche à la taille particulièrement marquée. J'aime bien le coulissement régulier de son sexe dans celui de la fille. Chaque fois qu'il sort de son vagin avant d'y rentrer de nouveau, ça luit. Qu'importe au fond que ce soit de la mouille de la fille ou d'un lubrifiant quelconque que ça luise, le pénis du gars est chaque fois luisant aux deux tiers et c'est ce simple détail qui retient toute mon attention. J'atteins alors l'orgasme rapidement, bien avant la fin de la vidéo, en général au moment où la fille tourne légèrement la tête sur le côté pour dire un truc au mec que, sans le son, évidemment, on ne peut pas comprendre. Elle rejette d'un coup de tête sec ses longs cheveux du côté opposé et on aperçoit alors balancer son sein gauche, qui est gros, rond, probablement artificiel, avec une aréole d'un rose très pâle et un téton bien dressé. C'est d'ailleurs cela qui m'excite le plus dans cette affaire : les faux gros seins de la fille blanche.

Ce n'est plus tenable, alors je me lève. Sans un bruit, j'ouvre la porte de la chambre puis, en moins de dix pas, j'accède au salon. Sur la méridienne, Pierce dort d'un sommeil très calme. Je dirais même très *cool*, avec ce bras qu'il a replié sous sa nuque comme s'il était en train de faire une sieste sur un matelas gonflable de piscine, en été. Le drap et la couverture que je lui ai remis ne sont remontés que jusqu'à sa taille, ce qui me permet de déchiffrer nettement ce qui est inscrit sur son t-shirt : *Meridian Otago Champs, 12 Dec' 2014*. J'aime la fine et claire broussaille de poils d'aisselle qui dépasse de son t-shirt, on dirait du tabac frais. Il a le biceps jeune et vigoureux, ni trop maigre ni trop bombé. Une odeur qui ne m'est pas familière flotte dans la pièce. C'est un mélange de celle de son énorme sac de voyage passé depuis tant de mois par tant de gares, d'autocars et d'aéroports, par des villes et des campagnes, par le soleil et la pluie, et de celle de sa peau, plus épicée que ne laisserait supposer sa blondeur rousse. Par orgueil et aussi par principe, je n'ai jamais pris l'initiative d'embrasser un homme la première. Cette fois-ci, c'est plus fort que moi, je n'ai pas envie de réfléchir. Je pense à ce que dirait ma mère si elle savait ce que je m'apprête à faire : « Ma fille, quelle image as-tu de toi-même pour aller te jeter comme ça dans les bras d'un garçon qui n'a pas fait le premier pas ? Quelle preuve as-tu seulement que c'est ce qu'il attend de toi ? Une fille de ta valeur et de ton niveau n'a pas à quémander comme ça un peu de chaleur pour son corps. Tu n'es pas une mendiante, que je sache. Ce n'est pas comme ça que je t'ai élevée, en tout cas. » *Un peu de chaleur pour son corps*. Maman m'avait paru si vulnérable le jour où, avec tant de pudeur, elle m'avait laissé entendre par l'emploi de ces mots-là que, à elle aussi, parfois, la présence d'un homme pouvait manquer.

C'est en dépit des évidences que l'on se sent courageux. Uniquement parce que, pendant un instant insensé, on choisit de ne pas accorder d'importance aux conséquences de ses actes. Et puis, en pleine nuit, on peut tout se permettre parce qu'on a l'impression de ne pas être soumis aux mêmes règles qu'en plein jour. Je prends une courte inspiration, je m'avance encore un peu et je m'allonge en douceur tout contre le dos de Pierce sur la méridienne, pas assez large pour accueillir confortablement les corps de deux adultes. Il se réveille dans un mouvement de surprise, se retourne, mais rien de brusque. J'ai même l'impression qu'il s'y attendait un petit peu, à mon arrivée. « Tu veux que je reparte dans ma chambre ? » je lui chuchote aussitôt avec une tranquillité qui m'étonne moi-même. Mon ton est calme mais sans réplique. Il indique claire-ment à Pierce que je n'envisage pas une seconde qu'il me dise oui. « Euh, non », me répond-il en écrasant joliment un bâillement. « Juste que je n'ai jamais couché avec une fille noire. »

2

Ma douche terminée, j'ai attrapé sur le crochet
la chemise que j'avais portée pour la première
partie du voyage et je l'ai étendue à contrecœur
sur le caillebotis pour en faire un tapis de bain
de fortune. J'ai ôté mes chaussettes Emirates
complètement trempées, je me suis séchée puis
enduit le corps d'huile d'avocat avec une lenteur
délassante. En piochant dans mon sac le tanga
tout neuf que j'avais acheté 40 euros spécialement pour ces retrouvailles avec Pierce, je me
suis fait la remarque qu'une simple culotte chez
Monoprix aurait largement fait l'affaire. Tenant
l'objet entre mon pouce et mon index un peu
comme un mouchoir qui ne m'appartiendrait pas,
j'ai arraché l'étiquette du prix d'un coup sec, ôté
l'adhésif protecteur de l'entrejambe. Puis j'ai saisi
de l'autre main mon iPhone et j'ai pris un snap.
L'éclairage au néon et les carreaux de la cabine
de douche en toile de fond s'assortiraient bien
à cette légende qui me trottait depuis quelques
instants dans la tête : *Une solitude en dentelles.*

Dans mon sac, il y avait aussi le bin-bin que Jean-Philippe m'avait rapporté du Mali et que je n'avais pas eu envie ni vraiment l'occasion de remettre depuis notre rupture. En vissant le petit fermoir autour de ma taille, je me suis rappelée qu'au-delà des jeux érotiques qu'il savait initier sans paraître ridicule, Jean-Philippe était sans doute le seul type que j'avais connu capable de me faire changer au dernier moment de chaussures ou de couleur de rouge à lèvres avec des arguments convaincants. Lorsque je lui avais demandé, à moitié sérieuse, si un tel sens « féminin » du détail s'expliquait par sa bisexualité, il s'était vexé. Et je reste persuadée que la fin de notre histoire n'est pas sans lien avec la scène qu'il m'avait faite ce soir-là, même s'il s'en est toujours défendu par la suite.

L'eau tiède et le savon sur ma peau avaient fait disparaître cette sensation générale de vertige que, depuis ma descente de l'avion, j'éprouvais avec le décalage horaire et toutes ces heures sans sommeil. J'avais soudain l'impression d'être *retapée, reconditionnée,* comme ces ordinateurs remis à neuf à l'usine pour être vendus une seconde fois. J'ai mis la robe d'été blanche à fleurs que j'avais conservée soigneusement repassée et pliée dans une épaisse enveloppe en kraft, j'ai bouclé mes sandales puis appliqué sur mon cuir chevelu une huile au thé vert et à l'aloe vera qui sentait très bon. Juste avant de quitter la cabine, j'ai pris la douche en photo, en plaçant au centre du cadre le triste résidu de mousse de mon gel lavant qui s'évaporait lentement sur la grille d'évacuation. Une fois reconnectée au wifi de l'aéroport, c'est ce snap plutôt que celui du tanga que j'ai choisi de publier sur mon compte Instagram. Je l'ai accompagné de la légende suivante : *Aéroport de Sydney, 26 janvier 2016. Voyager : le plus terre à terre des stupéfiants.* Lorsque j'ai atteint la salle d'embarquement, la photo avait déjà récolté neuf *J'aime*, un GIF de Wendy Williams applaudissant posté par Aïssatou et un commentaire de Fadila : *Pas très gai mais sooooooo poétique ma chérie !!* J'avais envie de lui répondre : *Si seulement je pouvais en faire quelque chose qui aille plus loin que neuf* J'aime *sur Instagram, de ce « sooooooo » sens de la poésie que tu me prêtes.* À la place, j'ai écrit : *Merci-merci ma caille, je me bats. #onfaiskonpeunon ?* Il restait quarante minutes avant l'embarquement et il était près de vingt-deux heures en France : parfait pour un dernier Skype avec maman.

Je me suis retenue de pleurer en voyant apparaître sur mon écran son visage pixellisé, avec sa lampe halogène verte en forme de palmier pas complètement verticale posée à côté du canapé du salon, et la reproduction sur nylon ciré de *La Laitière* de Vermeer accrochée sur le mur. « Tu as l'air en forme. » Elle avait beau avoir bien accueilli la nouvelle de mon départ pour la Nouvelle-Zélande, m'y avoir encouragée même, je ne pouvais m'empêcher de penser que ça lui faisait de la peine, au fond, et que je n'avais pas le droit de partir comme ça, si loin d'elle et pour une si longue durée. *Suis-je donc aussi égoïste que mes cousines le prétendent ?* J'avais fait semblant d'assumer ma décision en toute sérénité devant la réticence de Prudence lorsque je lui avais annoncé mon obtention d'un visa vacances-travail d'un an pour la Nouvelle-Zélande. « Attends, la Nouvelle-Zélande, c'est où, ça encore ? C'est loin, non ? » Depuis notre enfance, ma relation avec Prudence reposait sur un fondement immuable : elle se montrait d'autant plus sévère avec moi qu'elle sentait que ma façon de penser la dépassait, tout comme mes choix en général. Rien de mal intentionné, juste une façon pour elle de s'affirmer pour ne pas avoir le sentiment de perdre la face.

« *Un an !* Et ta mère ? Tu vas la laisser toute seule ? Toi, sa fille unique ? » « Maman est très contente pour moi », avais-je répliqué, piquée, mais tout en sentant au même instant quelque chose se contracter dans mon ventre. « On va clairement se manquer l'une et l'autre, elle et moi. C'est sûr, ça va être dur. Mais elle sait très bien qu'il y a des occasions à ne pas rater dans la vie. Elle sait très bien que la vie est courte et qu'il ne faut pas attendre. Et elle juge que mon intérêt passe avant toutes nos petites habitudes. » J'avais failli ajouter : « Et avant notre interdépendance parfois un peu étouffante, aussi. » Mais je redoutais que Prudence ne pense que je me la *racontais*, avec mes tournures syntaxiques compliquées. *Interdépendance*, elle aurait tchipé en détachant avec une moue moqueuse chaque syllabe. *Parle comme tout le monde, Géralde.*

« Ouais, enfin, ça, c'est ce qu'elle dit. » Puis elle avait ajouté ces deux petites phrases assassines : « Je la connais, *moi*, ta mère. Je connais *ma tante.* »

Traduction : « *Ta maman est peut-être ta mère, mais elle est avant tout ma tante. Te dire* Je la connais, *cela signifie que, elle comme moi, comme ma sœur et comme notre mère qui est la grande sœur de la tienne, il ne viendrait à l'idée d'aucune d'entre nous de trahir notre sang en décampant comme une voleuse à l'autre bout du monde. Nous n'avons pas oublié qui nous sommes, toutes les quatre. Nous n'avons pas oublié, nous, que la famille, c'est sacré. Et qu'il n'y a rien dans la vie qui vaille qu'on la sacrifie, la famille. Chez nous, Géralde, on ne vend pas notre âme au diable. Dans notre famille, lorsqu'on s'aime pour de bon, on se soutient. Et parce qu'on ne peut jamais prévoir le pépin, le problème de santé ou l'accident quelconque qui pourrait tomber sur n'importe laquelle d'entre nous, eh bien on reste, au cas où. Chez nous, on ne consent à laisser sa maman toute seule que si partir est une question de vie ou de mort. Surtout si l'on est sa fille unique. Voyager à l'autre bout du monde pour son petit plaisir, pour sa petite personne, au nom de sa petite liberté et de son petit agrément à soi, c'est une invention des Blancs, pas de chez nous. Mais on a bien compris toutes les quatre que cela ne te pose aucun problème, les choses des Blancs. Tu adores ça, même, les whitiseries. Regarde ton vocabulaire, ton expression et ton air coincé, tout* ce long français *que tu nous sors avec ton accent pointu. Cet accent pointu que tu gardes même quand tu parles la langue de chez nous. Regarde tes sujets de conversation et ta façon de penser. Regarde tes centres d'intérêt, les films que tu vas voir au cinéma, la musique que tu écoutes, les livres que tu lis, ces expos de je ne sais quoi et tous ces musées en veux-tu en voilà. Regarde tes vêtements, tes cheveux et ce que tu manges : en quoi tout cela nous ressemble-t-il, à toutes les quatre ? Avec ma sœur et notre mère, parfois, on en vient même à se demander si tu ne t'es pas trompée de couleur de peau en venant au monde. On se demande : Géralde sait-elle vraiment ce que c'est que d'être noire dans ce pays, étant une Noire si parfaite, si peu noire, si blanche aux yeux des Blancs ? Et je peux te garantir que ta maman aussi se le demande, même si elle ne t'en dira jamais rien. Elle t'aime trop pour cela. Elle t'aime comme n'importe quelle maman aime son enfant : pour ce qu'il est, comme il est, même si elle ne reconnaît rien ou presque d'elle-même dans cet enfant. Surtout s'il s'agit de son enfant unique. Mais ne va surtout pas t'imaginer que cet amour démesuré qu'elle a pour toi lui a enlevé le sens de ce qui se fait et ce qui ne se fait pas, dans la vie. Parce qu'au fond, crois-moi, elle n'en pense pas moins. »*

« *Boeu akia wa yi a ngouann dzam.* Fais comme bon te semble, ma fille. Ce garçon, je me dis que, si tu l'as choisi, si tu es prête à aller le rejoindre aussi loin, c'est qu'il en vaut la peine, je te fais confiance. » Par discrétion, maman n'avait pas l'habitude de faire aussi directement allusion aux hommes avec lesquels je sortais. Avec ces mots, je mesurais à quel point mon départ la perturbait. « Je ne l'ai pas *choisi*, maman. Ce n'est pas l'homme de ma vie, pas du tout. » Je luttais dur pour ne pas me laisser submerger par la culpabilité, pour ne pas remonter à bord du prochain avion pour Paris avec mon billet open. *Et si, malgré ce que je juge à tort être un manque d'imagination de leur part, c'était Prudence, Carole et Tata Perpétue qui avaient raison ?* Et si rien au monde ne justifiait qu'on s'éloigne ainsi des siens, et surtout pas un homme ? Seraient-ce toutes ces années de ma petite enfance et de mon adolescence passées parmi tant de petits blonds et de petites blondes, à l'école normale catholique de la rue Blomet, qui avaient fini par me retourner le cerveau et me transformer pour de bon en cette Blanche mal rincée et égocentrique qu'elles évoquent si souvent à demi-mot ?

« *Aneu meu kat wa a, Maman.* Maman, comme je t'ai dit : Pierce, ce n'est pas l'homme de ma vie mais il est gentil. Et il *m'aide.* » Les tournures intéressées n'étaient pas mon fort mais je savais qu'elles rassuraient ma mère. Ce que désormais elle demandait à un homme, ce n'était ni la beauté ni l'intelligence ni la finesse ni le romantisme. À son âge, après avoir fait sa vie, tout ce qu'elle exigeait de lui pour sa fille, c'était qu'il veille à sa sécurité matérielle. « C'est juste qu'avoir la lettre de recommandation de son père a été un plus dans mon dossier pour obtenir ce visa vacances-travail dont je t'ai parlé cent fois. C'est la dernière année où j'y ai droit, à ce visa-là. Après trente ans, c'est fini, ils ne le délivrent plus. Alors, j'en profite. » J'en rajoutais un peu. Avec le formulaire rempli sur internet, les 2 500 euros de garantie de subsistance, mon billet d'avion, mes assurances santé, rapatriement et hospitalisation, j'avais obtenu mon visa en dix jours seulement. « Oui, ma chérie, bien sûr. Tu m'as dit. Je sais bien. *Oboueu mbeng.* Tu as bien fait. »

La déception que vous cause l'être que vous chérissez le plus au monde peut-elle finir un jour par l'emporter sur l'amour inconditionnel qu'on lui voue ? me demandais-je en regardant sur mon iPhone le visage de maman qui, comme d'autres femmes modestes de sa génération, ne savait jamais vraiment où fixer son regard au cours d'un Skype. Je visualisais mentalement les cinq noms enregistrés dans la colonne *Contacts*, sur la partie gauche de l'écran de son PC premier prix : *Géralde Mbayi (Paris), Perpétue Mbayi (Romainville), Lucile Raether-Mbayi (Neumünster, Deutschland), Archange Mbayi (Yaoundé, Cameroun), Gratien Mbayi (Annapolis, Maryland, USA).* À soixante et un ans, son champ de sociabilité ne se réduisait plus, moi sa fille unique mise à part, qu'aux quatre personnes en qui elle avait encore confiance en ce monde. Quatre personnes qui se trouvaient être les seules, parmi ses huit frères et sœurs encore vivants, à n'avoir jamais porté de jugement sur ses choix de vie ni tenté de lui nuire à coups de sorcellerie, au prétexte que maman avait toujours été la plus jolie de la fratrie (en conséquence la plus convoitée par les hommes), et qu'elle avait eu un peu plus de chance que les autres en rencontrant mon père à vingt-cinq ans, en se faisant enceinter par lui puis verser une petite rente au cours des premières années qui avaient suivi ma naissance. Jusqu'à ce que mon père, que la beauté de maman n'amusait plus assez sans doute, lui trouve une remplaçante, un nouveau deuxième bureau, une illégitime toute neuve à qui faire à son tour un enfant et verser à son tour un loyer à l'insu de l'épouse légitime et mère de ses cinq enfants légitimes. Laquelle épouse légitime consentait à fermer les yeux sur ses fredaines à Paris uniquement parce que mon père lui faisait mener grand train à Yaoundé, avec sa fortune pas claire de haut fonctionnaire ex-ministre.

« Et la fille à qui tu sous-loues ton studio, tu as vraiment confiance en elle ? Tu es sûre qu'elle va bien te payer chaque mois ? Tu la connais, d'abord ? » « Oui, maman, ne t'inquiète pas. » Sur ce coup-là, en revanche, j'étais beaucoup moins sûre de moi. Une *amie d'amie* de Sabine, cela faisait deux intermédiaires de trop. Mais bon, prendre une décision sur un coup de tête, cela a un prix.

Il restait pas mal de sièges inoccupés sur le vol Air New Zealand de 11 h 10 pour Wellington. J'ai demandé à l'hôtesse la permission de m'installer sur deux places vides côte à côte, puis j'ai calé un sweat roulé en boule entre ma tête et le hublot. Je me suis endormie au décollage, bercée par la poussée des réacteurs au moment où l'avion se propulsait dans le ciel. Dans une symétrie parfaite, je me suis réveillée trois heures plus tard, alors qu'on amorçait la descente vers Wellington. Sensation de m'extraire d'un sommeil malcommode et brutal, profond, aussi artificiel que celui de mon anesthésie générale, lorsque Ferréol m'avait emmenée me faire avorter en larmes à vingt-deux ans. Le temps d'aller aux toilettes me passer une lingette rafraîchissante sous les aisselles, de la crème hydratante sur le visage et sur les mains, de me reparfumer, des rochers noirs apparaissaient par intermittence dans la mer, tout en bas, à travers une couche épaisse de nuages et de pluie. Dans le Lonely Planet, il était indiqué que les Maoris appelaient traditionnellement la Nouvelle-Zélande le *Pays du long nuage blanc*. Un instant, je me suis sérieusement demandé si les gros nuages pluvieux étaient la norme ici : ferait-il, tout au long de mon séjour, un temps comparable à ce que j'apercevais à travers mon hublot ? Le plein soleil, cela existait-il aussi, en Nouvelle-Zélande ?

La partie internationale de l'aéroport de Wellington n'était pas plus imposante qu'un hypermarché Auchan, mais il y régnait une atmosphère de professionnalisme très anglo-saxonne. Les enseignes, les marques, les caractères typographiques des indications, les associations de couleurs, les équipes de maintenance et les agents d'immigration que rien ne semblait pouvoir divertir de leur tâche : ça me rappelait un peu l'aéroport de Dublin, où Atos m'avait envoyée en 2012 couvrir pendant trois jours un séminaire chez LinkedIn. J'étais la seule Noire dans cet aéroport, mais, comme à Dublin, je ne le ressentais dans les yeux de personne.

En attendant ma valise, j'ai sorti mon iPhone. Ma mère, qui attendait mon coup de fil, ne s'était pas couchée. « *Meu soueu koui mbeung.* Je suis bien arrivée. Va dormir, tout va bien, je t'appelle dès que possible », lui ai-je dit en luttant pour ne pas la retenir. J'ai raccroché et, pour ne pas être tentée de la rappeler, j'ai pris un selfie. La moitié de mon visage en très gros plan occupait la moitié du cadre. On ne m'y reconnaissait pas tant j'étais rendue floue par la proximité de l'objectif. L'autre moitié de l'image était occupée par la perspective, dans mon dos, des autres passagers tranquillement rassemblés autour du tapis roulant des bagages. *Wellington, 26 janvier 2016. Quelqu'un a-t-il démontré quelque part pourquoi les Anglo-Saxons du XXIe siècle parvenaient mieux que les peuples latins à ne pas considérer les Noirs comme des extraterrestres ?* Une fois connectée au wifi de l'aéroport, c'est avec cette phrase que j'ai légendé mon selfie et que je l'ai posté. Lorsque, quelques minutes plus tard, j'ai quitté la zone de récupération des bagages avec ma valise, il y avait deux *J'aime* : l'increvable

Gladys, et Thomas. *Tellement vrai*, commentait sobrement Gladys. À quoi Thomas, à 5 h 46 heure française, avait répondu : *Et les 300 Blacks tués chaque année par la police aux États-Unis ? Ce n'est ni en France, ni en Italie, ni en Espagne, ni au Portugal que ça se passe, que je sache.* S'ensuivait une joute en temps réel entre Gladys et Thomas : *D'abord, Thomas, tu n'es pas obligé d'utiliser le mot « Blacks ». « Noirs », ça marche très bien aussi, tu sais. Personne ne t'appelle « White » nulle part, je suppose. Ensuite, je maintiens que Géralde a raison lorsqu'elle dit qu'on te renvoie beaucoup moins ta couleur à la figure dans les pays anglo-saxons. J'ai été en vacances dans les Pouilles l'été dernier avec mon copain, qui est noir lui aussi. Tout juste si on ne lançait pas des bananes sur notre passage. Un cauchemar.*

J'ai rangé mon téléphone dans mon sac juste après avoir lu la réponse de Thomas : *Je dis « Black » parce que c'est un mot que vous utilisez vous-mêmes. Après, s'il y a des mots qu'on n'a pas le droit d'utiliser uniquement parce qu'on n'est pas noir, on peut se demander si l'intolérance, ce n'est pas des deux côtés qu'elle se situe.* La suite de leur conversation, je l'imaginais sans mal. Toujours la même chose en France, toujours les mêmes tensions, les mêmes incompréhensions, les mêmes frustrations : Thomas allait tenter d'insinuer le moins maladroitement possible que les Noirs sont sympas mais trop pleins de contradictions, trop complexés et trop susceptibles pour qu'on puisse avoir avec eux un échange vraiment ouvert et constructif. Agacée par ses précautions de langage autant que par son incapacité à penser autrement qu'en tant que Blanc et du point de vue d'un Blanc, même animé de bonnes intentions, Gladys aurait fini par lui écrire : *Laisse tomber, Thomas, tu ne peux pas comprendre et tu ne pourras jamais comprendre.*

Ici, à 19 000 kilomètres de Paris, les problèmes semblaient se résumer plutôt au souci des autorités de préserver l'écosystème local en bannissant l'importation sauvage de végétaux et de denrées alimentaires. C'est avec un sourire sincèrement navré que l'agent préposé au contrôle des bagages, avant la sortie, m'a demandé de jeter à la poubelle la barre de céréales que j'avais gardée dans mon sac. Avec ce calme et ce soleil frais d'après la pluie qui inondait le hall d'arrivée, on avait le sentiment de débarquer sur une petite planète naïve et prospère, épargnée par les laideurs de l'autre monde.

Bémol : Pierce ne figurait pas parmi les personnes venues accueillir les passagers. *Quand on aime, on calcule,* ai-je eu envie de noter quelque part, tout en me demandant si ce n'était pas moi qui m'étais trompée de sortie. Mais ma phrase était trop vague et je n'avais rien dans mon champ de vision qui pouvait l'illustrer efficacement. Il est apparu au bout de quelques minutes, sans s'excuser et sans avoir l'air de concevoir que cela peut te saper l'enthousiasme, de ne trouver personne pour t'attendre à l'heure au terme d'un voyage de plus de trente heures. « J'ai préféré me garer dans le parking au dernier moment pour profiter des quinze minutes gratuites » : c'est ce qu'il m'a expliqué d'entrée avec un naturel désarmant. Il avait passé un t-shirt rouge froissé qui faisait exagérément ressortir son cou, et quelque chose dans ses cheveux s'était aplati depuis notre dernière rencontre à Paris, le rendant un peu moins beau que dans mon souvenir. Je n'ai rien laissé transparaître de ma déception lorsque nous nous sommes pris l'un et l'autre dans les bras. C'est même lui que j'ai senti plus raide et plus distant dans son baiser, presque distrait. *Comme ce doit être délicieux de faire un si long voyage pour retrouver un homme que l'on aime pour de bon*, j'ai pensé tandis que nos yeux s'évitaient pudiquement, comme si nous comprenions soudain combien ces retrouvailles étaient aussi précipitées qu'incongrues. Nous nous connaissions si peu, après tout, et si mal.

Dans la voiture, où le volant était placé à droite, comme en Angleterre, j'ai posé ma main sur la cuisse de Pierce pendant qu'il introduisait son ticket dans la borne électronique du parking. Mais, comme il ne réagissait pas, comme mon geste n'avait pas davantage de sens que notre baiser embarrassé dans le hall des arrivées, j'ai fini par l'ôter en profitant du déséquilibre causé par un virage un peu serré, au rond-point de la sortie de l'aéroport. Après quelques efforts pour amorcer une conversation convenue : *Ça va ? Pas trop fatiguée ? Tu as pu dormir un peu ? La conduite à gauche, ça ne te désoriente pas trop ?*

D'ailleurs, as-tu déjà toi-même conduit à gauche ?,
il est retourné à ce silence minéral qui m'avait,
dans un premier temps, intimidée à Paris, avant
que je me rende compte qu'il ne sous-entendait
rien et ne renvoyait à rien d'autre que du silence,
tout simplement.

Je ressentais à présent un mélange d'épuisement physique et de découragement. Il m'avait
pourtant semblé si naturel d'improviser ce
voyage, aussi aisément que si j'avais décidé,
mettons, de ne pas descendre à ma station de
métro habituelle pour poursuivre jusqu'au bout,
histoire de voir à quoi cela pouvait ressembler,
le terminus de ma ligne. Cela m'avait paru plein
de sens, de ne pas procéder *raisonnablement* pour
une fois, de prendre une telle décision uniquement parce que cela semblait une *folle* décision.
Surtout, je ne me trouvais aucune bonne raison
de ne pas la prendre. Je possédais juste ce qu'il
fallait d'économies pour mon billet et les frais
relatifs à mon visa vacances-travail, pas de job
fixe ni d'amoureux digne de ce nom, et j'avais
trouvé quelqu'un à qui sous-louer mon studio
à Paris. J'avais beaucoup pensé à cette phrase
de Jean Cocteau que j'avais un jour entendu
citer par Christiane Taubira, sur France Inter :
Dans la vie, on ne regrette que ce qu'on n'a pas fait.
J'avais aussi pensé à cette expression toute bête,
mais toujours appliquée au rabais, à moitié, sous
conditions, à l'économie, à n'en pensant pas
moins. Ou toujours comprise trop tard : *Carpe
diem.* Je m'étais dit : Voilà le genre de décision

à prendre qui nous fait éprouver la valeur de poncifs comme *La vie n'attend pas*. Je me disais : En partant, tu n'appartiendras plus à la catégorie des gens qui disent *J'aimerais bien*, ou bien *Je vais*. Mais à celle qui *fait*.

Mais là, à l'épreuve de la réalité, je me demandais soudain ce que je foutais dans ce pays, assise dans la voiture d'un type qui n'avait rien à me dire, si loin de Paris, de ma mère, de mes amies, de mes intérims, de ma petite vie pas très originale mais pas si mal que ça, au fond. Si loin de tout. Je comprenais à présent pourquoi les élans du cœur et les décisions prises sur un coup de dés sont faits aussi pour que l'on n'y cède pas, et que les filles dans mon genre ne sont pas tant d'attendrissantes rêveuses que d'inconséquentes impatientes. Tout ce qu'il me restait à faire, c'était de me taire, comme Pierce. Et de contempler le paysage dehors pour tâcher de ranimer mon enthousiasme et ma curiosité sans trop m'apitoyer sur mon sort.

La route longeait une falaise couverte de fougères. À droite, il y avait la mer qui, après l'orage, retrouvait des couleurs. À flanc de falaise, des maisons en bois peintes parfois en rouge, bleu ciel ou rose pâle auxquelles menaient depuis la route des espèces de petits ascenseurs montés sur rails. « Ce sont des *cable cars* », a dit Pierce qui, sans quitter des yeux la route, était manifestement très doué pour lire dans mes pensées les plus prosaïques. « Comme il n'y a pas d'accès par le haut, c'est le seul moyen d'arriver chez soi. » Outre cette toute relative particularité, tout semblait familier : les voitures que l'on croisait étaient neuves ou en très bon état. La route propre, bien tracée et encadrée par des glissières de sécurité. Les panneaux de signalisation clairs et entretenus. Ici, une civilisation s'était organisée au sein d'une nature qu'elle avait à la fois domptée et préservée. On pouvait se croire sur un littoral d'Europe de l'Ouest : en Bretagne, en Irlande, je ne sais pas. Bref : un résultat parmi d'autres, exemplaire, de la colonisation occidentale, mais côté anglais. Rien de très exotique, en somme. Juste cette pensée qu'on était, selon l'expression consacrée par le même Occident, *au bout du monde.*

Nous nous sommes allongés mais je n'arrivais pas à chasser de mon esprit l'image de la belle-mère de Pierce m'offrant un sourire trois fois trop grand lorsqu'il nous a présentées l'une à l'autre. Nous l'avions croisée en contournant la maison familiale pour nous rendre dans le *cabin* indépendant de Pierce, construit au milieu du jardin. Lorsque, à Paris, il m'avait dit : « Je t'hébergerai jusqu'à ce que tu trouves un job », lorsque plus tard, par Skype, il m'avait fait visiter son trois-pièces avec sa webcam, je n'avais pas du tout imaginé qu'il habitait encore chez son père. Si lui-même ne m'en a rien dit, j'ai pensé, c'est qu'il doit trouver ça normal. J'aurais de loin préféré un espace plus petit et moins confortable mais, au moins, personnel, suffisamment éloigné des siens, adulte, *mérité*. Mais, comme d'arriver en retard à l'aéroport ou de ne pas dire un mot pendant dix minutes au volant de sa voiture, ou encore de ne pas se proposer spontanément pour porter ma valise, cela ne semblait pas du tout gêner Pierce, à trente et un ans, de ramener une inconnue ou presque passer la nuit chez son papa.

Il me touchait exactement comme il m'avait touchée à Paris : dans l'indétermination, sans gourmandise. Tout ce que ses longues mains fines et les veines apparentes qui couraient sur ses bras si blancs m'inspiraient, c'était, bizarrement, le mot *technocrate*. Je retrouvais inchangée l'odeur de sa peau, d'un douceâtre légèrement piquant, comme de la faisselle. Pour me faire rire, il avait passé un kangourou rouge de la marque *Le slip français*, avec, cousu devant, un macaron *Made in France*. « Souvenir de Paris », il m'a dit dans le texte, très satisfait de sa prononciation. Pour lui faire plaisir, j'ai ri en faisant gentiment claquer de mon index l'élastique du slip sur ses reins.

Il ne parvenait pas à bander. Sans conviction, je me suis glissée le long de son torse puis de son abdomen pour aller le sucer, puisque c'est ce qui est attendu d'une femme dans ces cas-là. Il ne faut pas trop réfléchir à des couilles. Des couilles d'homme, de la peau de couilles d'homme, avec ses plis et ses poils épars qui font penser à une membrane malade, c'est assez effroyable, lorsqu'on n'est pas amoureuse. Comme au fil des minutes rien n'évoluait significativement dans ma bouche, j'ai fini par en retirer son sexe et je suis remontée poser ma tête à côté de la sienne. « Ce n'est pas grave », j'ai dit comme il est également d'usage que les filles disent dans ces circonstances. Et, de fait, comme je n'étais moi-même pas du tout excitée, ce n'était *vraiment* pas grave. Toujours à des fins pacificatrices, j'ai passé une main compréhensive dans ses cheveux en lui disant : « C'est normal, c'est toujours comme ça, les retrouvailles, après un long moment. » J'ai ajouté, toujours sur le même ton de maman protectrice : « Ne t'inquiète pas. »

Présomptueuse que je suis. Contrairement à tous ces types qui se fermaient comme des huîtres dans ces moments-là, ou bien cherchaient à tout prix à se justifier comme si leur honneur en dépendait (« Je te jure que c'est la première fois que ça m'arrive »), Pierce conservait une bonne humeur surprenante. Qu'il ne se confonde pas en excuses ni en prétextes le rendait presque désirable de nouveau. Une pensée désagréable m'a traversé l'esprit : et si c'était moi qui ne l'étais plus à ses yeux, désirable ? Une telle indifférence à sa panne de zizi ne s'expliquait-elle pas par une absence totale d'enjeu, c'est-à-dire de convoitise à mon égard ?

Je me suis redressée sur un coude : « C'est moi, le problème ? » j'ai demandé sans feindre

mon inquiétude. « Je ne te plais plus, peut-être ? »
Il a tourné la tête et tendu le bras pour attraper
calmement son téléphone portable sur le bidon
d'essence laqué qui lui tenait lieu de table de
chevet : « Mais non, tu es très belle. » Il avait dit
cela dans un petit soupir d'exaspération polie,
tout en chatouillant son écran et sans me jeter
le moindre regard. Le message qu'il avait reçu,
voilà qui l'inspirait davantage. Pourquoi dans le
sexe sont-ce toujours les femmes qui se sentent
responsables, même lorsque c'est de toute évidence l'homme qui n'est pas à la hauteur ?

« Et si on allait faire un tour ? » il a dit en tapant
son oreiller pour lui redonner sa forme rectangulaire d'origine. « Des amis à moi proposent
de les rejoindre dans un bar du CBD. » *Sibidi*.
Sans attendre ma réponse, il s'est levé pour renfiler son slip. Pendant la manœuvre, j'apercevais
son petit sachet de testicules ballotter entre ses
jambes comme celui d'un labrador. « C'est quoi,
CBD ? » « Le *Central Business District*. Downtown.
Les grands buildings. » Il ne concevait pas un
instant que le décalage horaire m'avait envahie
jusqu'au vertige et que sortir n'allait pas du tout
de soi. « Ne t'inquiète pas pour la fatigue », il a
ajouté avec ce sens prodigieux de l'à-propos qui
le caractérisait dans les situations sans importance. « Règle numéro un : ne pas céder au sommeil dès l'arrivée mais se forcer à attendre la
nuit, comme tout le monde. » C'est, définitivement, son sens pratique qui le rendait beau. Il
s'est tourné vers moi, a rajusté l'élastique de son

slip qui s'était légèrement enroulé sur sa hanche. « Règle numéro deux : boire pour ne pas compromettre la règle numéro un. »

Le centre-ville de Wellington était propre, organisé, opulent. Plus impersonnel que véritablement froid. Une sorte de Londres de poche, avec ces cyclistes casqués qui filaient le long des couloirs de bus et ces grands types fades à teint rose portant des costumes aux pantalons un peu trop courts aux chevilles, entrant et sortant de halls d'immeubles qui ressemblaient tous à des sièges de compagnies d'assurance. Pas mal d'Asiatiques parmi la foule des trottoirs, parfois des Indiens. Une majorité écrasante de Blancs. Pas un seul Noir. Pas *un seul*. J'ai chassé de mon esprit cette phrase de Baldwin par laquelle il expliquait son retour à Harlem après son premier séjour parisien : *I missed my connections.*

Au pub, deux types et une fille m'ont souri poliment à notre arrivée. L'un était habillé tout de noir et très près du corps, avec une mèche de cheveux retombant sur son œil qui lui donnait un air dépressif. L'autre type, Sean (ou *Shaun*, je n'ai pas bien compris) était venu avec sa copine. Chauve, bronzé, il ressemblait au surfeur Kelly Slater, en laid. La fille, elle, devait faire deux fois son poids à lui. Elle portait un haut blanc exagérément plissé et une ombre à paupières d'un turquoise de confiserie. Pierce avait beau, j'imagine, les avoir prévenus, j'ai lu dans leurs trois paires d'yeux l'étonnement de ceux pour qui la peau noire n'est pas un problème en soi mais plutôt une plaisante anomalie, résolument sympathique, forcément prometteuse de rires et de bonne humeur. Aucun d'entre eux n'a songé cependant à me demander *d'où* je venais. Que je sois française leur suffisait, et cela les intéressait même bien davantage que je ne l'aurais imaginé. Chacun ayant déjà effectué au moins un séjour prolongé en Europe pour son OE, ils se sont mis à me parler avec émerveillement des catacombes au métro Denfert-Rochereau, du petit rosé de Provence au mois d'août sous les tonnelles, du festival Rock en Seine et de je ne sais quel point de vue sensationnel à ne pas rater depuis le haut de je ne sais quelle falaise, quelque part dans le Finistère. C'était touchant, de les voir évoquer spontanément avec moi des références qui ne sont, sauf exceptions dans mon genre, pas celles des Noirs de France en général. *Progresser sur la question identitaire, sortir des préjugés, cela ne peut procéder que d'un malentendu, voire de l'ignorance* : voilà à peu près la phrase par laquelle, si j'en avais eu le talent, j'aurais démarré un essai sur le racisme.

Pour illustrer cette idée de malentendu, j'aurais commencé par le Saint-Germain-des-Prés de la fin des années 1940, quand les Parisiens regardaient James Baldwin et Richard Wright avec des gratte-ciel et des uniformes de G.I's dans les yeux plutôt que le fouet du maître de plantation et la corde à nœud coulant du Ku

Klux Klan. Ils ne voyaient pas en eux des Noirs mais des Américains avant tout. Ainsi, deuxième malentendu, Baldwin et Wright ont-ils fait passer Paris pour une capitale de la tolérance raciale, préjugé toujours en vigueur en 2016 chez les Afro-Américains. J'aurais casé un peu plus loin dans mon essai mes propres préjugés mis à l'épreuve lorsque, un 4 juillet, un touriste afro-américain m'avait demandé, place Saint-Sulpice, la direction du jardin du Luxembourg. Il parlait avec une authentique émotion du Texas (*my home state*) et des Pères fondateurs de la « *Great Nation of America* » tout en désignant fièrement du pouce le petit drapeau Stars and Stripes qu'il avait planté dans l'une des poches de son sac à dos en ce jour de fête nationale. Avec cette façon de ne pas remettre un instant en cause les valeurs de ce pays qui n'avait jamais vraiment été le sien, qui s'était construit et enrichi principalement grâce à l'exploitation sanglante de ses ancêtres, il m'avait soudain paru aussi étranger qu'un Japonais.

Après avoir épuisé la liste des merveilles découvertes pendant leurs vacances en France, les amis de Pierce en sont venus aux choses sérieuses. Tout en s'abreuvant de prosecco, le dépressif, qui ne l'était en réalité pas du tout et avait parfaitement les pieds sur terre, expliquait comment il était parvenu à tirer un parti avantageux, auprès de son assureur, du remplacement de la baie vitrée de son salon, littéralement arrachée par le vent lors d'une tempête. S'en est suivie une conversation générale sur l'immobilier à laquelle, la fatigue aidant, j'ai très vite renoncé à chercher à comprendre quoi que ce soit. Leurs mots et leur accent à tous les quatre avaient fini par produire un bourdonnement nasal ininterrompu auquel je ne saisissais plus rien, mais tout en ayant le sentiment que c'est à ce stade, précisément, qu'une langue étrangère *s'insinue* en toi pour de bon. Curieusement, un morceau de Christine and the Queens alternant paroles en français et en anglais passait en fond sonore, ce qui ajoutait à la confusion. En posant ma tempe contre le montant de faux cuir vert des banquettes du pub, juste avant de me laisser avaler par le sommeil, j'ai eu le temps de formuler pour moi-même une remarque à la sémantique discutable. Quelque chose du genre *Cette langue est comme ses dépositaires naturels : très douée pour le matérialisme.*

Craig, le père de Pierce, avait les cheveux plus foncés que les sourcils, ce qui laissait supposer qu'il les teignait. Parmi cette touffe abondante de châtain tirant sur le roux, j'ai tenté à plusieurs reprises d'identifier la couleur de la racine afin d'en être bien certaine. Mais sa haute taille ajoutée aux effets de l'éclairage électrique à cette heure-ci rendait l'exercice impossible. Bien que plus rond de visage que lui, il ressemblait à Robin Williams lorsqu'il souriait. Il avait passé un tablier de cuisine bleu marine à message sur lequel était imprimé, en français, *Aujourd'hui c'est moi qui cuisine.*

« J'ai hésité avec celui-ci », m'a-t-il dit en attrapant sur une étagère, puis en le dépliant devant moi, un second tablier parfaitement repassé marqué, ce coup-ci, *Keep Calm and Kiss the Cook*, surmonté de cette couronne britannique qui est le logo caractéristique de la série *Keep Calm*. « Mais bon, comme je recevais une Française à dîner, je n'avais pas tellement le choix », il a ajouté avec un entrain sincère et communicatif. Sous son tablier, il avait gardé sa chemise de bureau blanche à fines rayures vertes dont il avait retroussé les manches avec application. Une grosse montre à bracelet métallique encerclait fermement son avant-bras parmi une pelouse de poils surnaturellement blonds. Cet homme respirait le confort et la fiabilité, tout comme cette cuisine, où l'équipement était de qualité et, le moindre détail, *à sa place* : les planches anciennes de fruits et légumes proprement encadrées sur le mur, les tresses d'ail pendues sur une poutre en bois, le piano de cuisson en inox d'une marque qui fleurait bon l'increvable : Westahl.

Impossible, en le regardant, de ne pas penser à mon propre père. Impossible de ne pas me dire que j'aurais aimé, petite fille, puis adolescente, avoir moi aussi un papa qui attacherait de temps en temps autour de sa taille un tablier de cuisine à message, même un peu ridicule, juste pour me faire plaisir, juste pour son propre plaisir de préparer un bon dîner à sa fille lorsque son travail lui en aurait laissé le loisir. Et non pas un homme entraperçu trois fois par an maximum, cinq les grandes années, lorsque ses affaires privées louches de chef de cabinet louche dans je ne sais quel ministère camerounais douteux le menaient à Paris. Cet homme qui prévenait au dernier moment qu'il viendrait nous visiter, maman et moi, puis resterait à dîner avec nous, puis passerait la nuit à la maison. Qui finissait par se pointer à vingt-trois heures minimum, sans songer à donner une explication ni à s'excuser puisqu'il était acquis que, même en ayant école tôt le lendemain matin, il était pour moi inconcevable d'aller dormir sans que je le voie. Qui posait alors une paume lourde et mécanique sur ma tête en me demandant si j'y travaillais bien, à l'école. Qui me disait, juste après : « Et ta prière ? J'espère que tu la fais bien chaque soir, hein, ta prière. » Et qui, pour me montrer qu'il ne fallait pas plaisanter avec Dieu, pour me montrer qu'il savait joindre le geste à la parole, pour me montrer qu'il n'était pas un papa blablabla, ou bien peut-être parce qu'il y tenait vraiment, à s'adresser à Dieu (sans doute pour se faire pardonner tout ce qu'il y avait de louche dans sa vie), bref, qui m'emmenait dans ma chambre où il me sommait de m'agenouiller à ses côtés pour réciter avec lui un *Notre Père*, un *Je vous salue Marie*, un *Je confesse à Dieu*, un *Je vous adore ô mon Dieu*, un *Source éternelle de lumière, Esprit-Saint*. Qui, sitôt la prière terminée, retournait au salon, sans m'avoir posé une seule question ni jeté un coup d'œil sur mes dessins et mes collages scotchés sur les murs. Qui s'en allait non pas tant pour retrouver ma mère que pour s'attabler dans la salle à manger de cet appartement dont il payait chaque mois le loyer et qui, en conséquence, semblait-il nous signifier, était d'abord le sien. Qui mastiquait sans un mot, respiration sonore et coudes écartés, avec une bouteille de Guinness brassée à Douala ouverte devant lui. *Elle est non glacée, j'espère, la bière ?* Il se plantait devant le « Journal de la nuit » de France 2 à la télé puis mâchait, sans un commentaire ni un merci pour le ndolè ou le ndomba de porc que ma mère avait mis la journée à mitonner pour lui, après avoir couru prendre le métro dans l'urgence pour sélectionner dans les boutiques de Château-Rouge les meilleurs ingrédients. Après les avoir nettoyés, épluchés, découpés puis condimentés avec un soin exemplaire une fois de retour à la maison. Après avoir présenté à mon père les mets fumants dans les jolis plats qu'elle réservait pour les grandes occasions, comme Noël ou mon anniversaire. Un homme convaincu de ne rien nous devoir, à ma mère et moi, puisque, en plus du loyer, il continuait de payer ma scolarité dans l'école catholique de la rue Blomet. Un homme tellement convaincu d'avoir suffisamment fait d'efforts comme cela, tellement certain de s'être rendu redevable à vie pour ses largesses, tellement indifférent à ce que nous pouvions penser de lui, qu'il ne se rendait même pas compte que, tout en le servant à table comme un seigneur, ma mère lui faisait aussi un petit peu la gueule. La gueule pour tout ce qu'il n'avait jamais fait : me reconnaître officiellement à la mairie à ma naissance et l'avoir traitée, elle, avec un peu plus de considération qu'une clandestine assignée à résidence en l'emmenant parfois en week-end, en la sortant au cinéma ou dans un bon restaurant. Passer un coup de fil depuis le Cameroun, aussi, juste pour prendre des nouvelles de temps en temps, pour s'intéresser un peu à nos vies et à nos états d'âme, certes très secondaires, de mère et de fille illégitimes. Bref, agir autrement qu'en monarque domestique lorsqu'il daignait apparaître, agir autrement avec nous qu'en chef de l'État, ministre ou haut fonctionnaire camerounais avec le peuple camerounais, c'est-à-dire en prenant toute la place sans jamais s'enquérir de notre sentiment sur rien. Il y avait aussi, parmi les reproches que ma mère entretenait à son égard, certainement quelque chose en rapport avec leur intimité, avec ce qui se passait dans sa chambre lorsque, après avoir jeté sur elle ces yeux vaguement reconnaissants que l'on réserve à la serveuse ou à la cantinière après avoir bien mangé et bien bu, c'est le moment d'aller se détendre entre adultes. Cela ne me regardait pas, de savoir ce qui se passait dans cette chambre une fois la porte de la mienne refermée et ma veilleuse éteinte, après pour tout mot doux de mon père un invariable *Bonne nuit, Géralde*, assorti d'un bref va-et-vient de son énorme main sur mon crâne, sans prendre la peine de se lever de table. Que ma mère lui fasse ou non payer au lit ses frustrations diverses, cela ne me regardait pas. Mais je ne pouvais m'empêcher, malgré mon si jeune âge, de me demander comment elle pouvait se laisser écraser par ce corps devenu méconnaissable au fil des années, aussi lourd et aussi informe, avec ces yeux désormais vidés de leur âme et ces trois étages de plis graisseux accumulés dans la nuque. Ce même homme qui, à vingt-trois ans, ses cours d'étudiant en droit sous le bras, posait pourtant avec allure dans le parc de la Cité universitaire, à Paris, sur cette photo qu'il m'avait donnée avec tant de fierté et qui était tout ce que je possédais de lui. 1,90 m de jean pattes d'eph' et de ce t-shirt rouge à long numéro rectangulaire qu'il portait par-dessus un t-shirt blanc à manches longues, dans un style *campus* qu'on trouvait uniquement aux États-Unis en 1981. 1,90 m de longues jambes, de fesses hautes et de buste en V, une coupe afro d'acteur de blaxploitation, des moustaches en fer à cheval de chef Black Panther et un sourire du soleil des indépendances de ces années-là. Est-ce le propre du mâle bantou fortuné, passé trente-cinq ans, que d'afficher sa réussite et sa puissance par un ventre en ballon de foot mettant au supplice les boutonnières de costumes hors de prix ? Par une nuque de zébu, de pesants silences à table et des yeux pleins de mauvais secrets ? Sans plus de temps à perdre avec des choses sans importance, comme une série de dessins de sa fillette scotchés sur un mur, ou prendre celui d'ouvrir un livre et de lui raconter une histoire de princesse avant de s'endormir ? *Nous ne rattraperons jamais le temps perdu, lui et moi, c'est trop tard, il a toujours été trop tard* : voilà ce que je ressentais déjà, sans me le formuler clairement, chaque fois que je refermais la porte de ma chambre, après que mon père avait roté sa Guinness dans son poing et posé une dernière fois sa paume géante sur ma tête. *Même plus de place pour des promesses qu'on ne tiendra pas.*

C'était une belle table. Sur une nappe colorée et tendue avec application avaient été posés un bouquet de fleurs fraîches, des assiettes à motifs de chasse à courre, des couteaux et des fourchettes à manche de corne étalés bien parallèlement les uns aux autres, des pose-couverts faits de je ne sais quelle pierre, des verres pour l'eau et d'autres à pied pour le vin blanc et la liqueur, des serviettes brodées, etc. Je ne pensais pas qu'on m'attendrait à dîner avec une telle délicatesse. Cela m'émouvait jusqu'à m'ôter mon idée fixe : aller m'effondrer d'épuisement sur le premier lit venu. Pourtant, il y avait quelque chose d'un peu effrayant dans cette maison où rien ne traînait nulle part, et dont la décoration rappelait celle de ces appartements familiaux de séries télévisées entièrement tournées en studio, ou de ces catalogues qui font rêver les apprentis bourgeois. Un truc de vieille Angleterre, à mi-chemin entre le club privé pour hommes d'affaires et le cottage de grand-mère : pendule à coucou sous vitrine, billard, jardin d'hiver, collection de porcelaines accrochées au-dessus d'un buffet idéalement patiné par le temps, fauteuils club pour le brandy au salon. Du bois, du velours, de l'ambre, du rouge, du vert tapis de poker, du cuivre et des chromes. Des cigares planqués quelque part dans un coffret en cuir, certainement.

20/20 en nostalgie, j'ai pensé en me demandant combien de générations séparaient la famille de Pierce de ses ancêtres écossais. Une seule ? Deux ? Trois ? *Partout dans le monde, les descendants de colons ont une force*, j'ai poursuivi en m'approchant d'un couple de petits chiots peints en céramique posés sur le rebord de la cheminée parmi une armée de bibelots : *la rage identitaire des origines*. J'ai voulu prendre l'un des chiots dans ma main, mais celui-ci restait collé à la cheminée. « Attendez », est intervenue aussitôt Kathryn, la belle-mère de Pierce. Chaque fois qu'elle croisait mon regard, elle se tordait la bouche dans un sourire effaré. Sans doute pour bien me montrer qu'elle n'avait aucun préjugé contre les Noirs, bien au contraire. Elle s'est avancée, a empoigné le chien à son tour et, en insistant un peu, a fini par le décoller d'un coup sec. « Regardez », elle m'a dit en me montrant la base du chien, où avaient été appliqués plusieurs petits bouts de Patafix jaune. Sans cacher sa fierté, elle m'a expliqué qu'à cause du caractère sismique de la Nouvelle-Zélande, il arrivait aux gens de coller leurs objets les plus fragiles afin d'éviter qu'ils ne tombent et se brisent en cas de grosse secousse. « C'est extraordinaire », j'ai commenté en décidant que c'est ce chien qui ferait l'objet de mon prochain post. « Je peux le photographier ? » J'aurais beaucoup aimé demander à Kathryn de poser en souriant avec le chien entre les mains. La légende, presque trop attendue, était toute trouvée : *Welcome to New Zealand*. Mais je n'ai pas osé, j'ai bien trop de respect pour les gens pour cela. Le culot, ça ne s'invente pas, c'est une nature.

Il ne me restait plus assez d'énergie pour apprécier comme il le méritait le rôti aux fines herbes pumpkin-patates douces de Craig, mais je me suis surprise à me laisser resservir en rouge sans broncher. J'ai pensé que l'ivresse, d'une part, me précipiterait encore plus profondément dans le sommeil. D'autre part, m'épargnerait de tergiverser avec Pierce au moment, si redouté désormais, où nous nous retrouverions allongés l'un à côté de l'autre dans son lit. Craig avait tenté une ou deux fois de me faire réagir sur les comparaisons entre le vin local qu'il me versait et je ne sais quel syrah ou pinot noir français. Mais, n'y connaissant rien, incapable de soutenir la conversation au-delà de *rouge-viande*, *blanc-poisson* et *blanc sec ou blanc moelleux*, je l'avais déçu. En dehors de la langue, me suis-je demandé, qu'ai-je de vraiment français aux yeux de ces gens, qui m'auraient sans doute préférée *bien de chez nous*, une sorte de Marion Cotillard ou de Mélanie Laurent qui ne pourrait se retenir d'aller griller des clopes sur la terrasse entre l'entrée et le plat de résistance. Qui ferait des allusions coquines à table en posant la main sur la cuisse de Pierce. Qui parlerait avec passion philosophie existentialiste après avoir effectué un raccord de rouge à lèvres devant tout le monde. Ils auraient voulu une irrésistible effrontée, qui heurterait avec panache leurs si sages manières et dont ils pourraient se moquer un peu ensuite en privé, mais tout en enviant au fond sa liberté naturelle, latine, *roman catholic*. Une païenne, quoi. À la place, ils récoltaient une noiraude qui réprimait ses bâillements et tâchait de siroter le vin avec le plus grand naturel. En cachant qu'au fond, elle n'aimait pas cela, boire.

Ils tenaient beaucoup à avoir mon avis sur l'attaque de *Charlie Hebdo* de janvier 2015, ainsi que sur les récents attentats de novembre à Paris. « Ici, ça a vraiment beaucoup ébranlé les gens, vous savez. On a tous *été Charlie* avec vous », a prévenu Craig avec compassion. Là encore, j'ai déçu. Au lieu de me lancer dans un exposé exalté sur le thème *Paris, ville des Lumières*, ou *France, terre de liberté d'expression*, ou, plus carrément, *Liberté Égalité Fraternité*, j'ai commencé par répondre que j'avais été très ébranlée aussi, surtout le soir du 13 novembre : « Tous les Parisiens seuls chez eux ce soir-là ont eu peur. » Je n'avais pas osé dire : « Toutes les jeunes femmes célibataires comme moi, même les plus endurcies, ont éprouvé ce soir-là un besoin profond d'être serrées fort dans les bras d'un homme pour se sentir rassurées et protégées. » Jusque-là, tout allait bien. C'est lorsque j'ai précisé que, pour ma part, *je n'étais pas Charlie* du tout que j'ai senti un léger voile d'hostilité s'installer sur les visages de Craig et Kathryn. Je pense que, par principe, c'est-à-dire si j'avais été blanche, *normale*, Craig et Kathryn n'auraient vu aucun inconvénient à ce que *je ne sois pas Charlie*. Au contraire, on m'aurait trouvée culottée, rebelle, contradictoire, anticonformiste, polémique, bref, *so French*. En tant que femme noire, j'avais beau tenter d'expliquer la distinction entre ma compassion pour les journalistes assassinés et ce que j'estimais être une position provocatrice du journal dans une société aux identités de plus en plus diverses, complexes, mal comprises, voire négligées, je passais soudain du côté des ennemis naturels de l'Occident, celui des tiers-mondistes ingrats, des complexés hargneux, des losers jaloux et vengeurs. Ils faisaient oui de la tête par politesse, en protestants bien élevés et soucieux de ne pas me mettre mal à l'aise. Mais, au fond, leur opinion était faite : je ne pouvais pas comprendre. Je ne pouvais pas comprendre que la liberté et la morale telles qu'elles étaient définies et édictées par l'Occident depuis les grandes découvertes étaient un intérêt supérieur de l'humanité tout entière. Je ne pouvais pas comprendre combien tout ce qui me heurtait dans cette affaire *Charlie Hebdo* représentait, au fond, mon propre intérêt, au même titre que l'intérêt de tous ces peuples obscurantistes que le journal avait mis en colère. *Blancs bonnets et bonnets blancs* : voilà comment, si j'avais été peintre, j'aurais intitulé une grande fresque burlesque ayant pour sujet les Toubabs du monde entier. Une sorte de guéguerre pour rire entre les Français qui auraient porté des bonnets phrygiens, les Américains des Stetson, les Allemands des casques à pointe et les Anglais de l'ensemble du Commonwealth, mettons, des couronnes royales en miniature. Je les aurais peintes en toc, avec un effet *doré qui s'écaille*.

« By the way, I looove your hair. Is it real ? » *À propos, j'adooore vos cheveux. Ce sont des vrais ? À propos.* À propos de quoi, au juste ? Sans transition, Kathryn venait de changer de sujet. Enfin, si, sa transition était limpide : puisque c'était peine perdue de vouloir aborder avec moi les questions sérieuses, autant me parler de mes cheveux pour ne fâcher personne. Une façon de continuer à discuter choc des cultures, mais beaucoup plus consensuelle. « Merci », j'ai dit en écarquillant les yeux moi aussi, lui offrant une réplique impeccable de son propre sourire. Je me demandais si, comme tant de mes collègues blancs de bureau en France, elle allait joindre le geste à la parole et mettre la main dedans sans mon autorisation. « Comment arrivez-vous à rendre cet effet ? On dirait, en plus long, ces pâtes un peu particulières, vous savez, j'ai oublié le nom. »

Ses yeux passaient de Craig à Pierce en implorant de l'aide, un peu comme ceux de ces candidats de quizz télévisés cherchant des signes du public lors de la grande question éliminatoire. « Je crois que ce sont des *fusilli* », a dit Pierce tout en plongeant aussitôt dans son téléphone portable pour vérifier l'information. « Oui, c'est ça, des *fusilli*. Tiens, il y a même une version longue, aussi », il a complété en tendant pour tout le monde l'écran de son appareil, où s'affichait la photo de longues pâtes torsadées. « *Fusilli lunghi*. J'en ai mangé à Vérone dans un resto où tous les clients portaient une espèce de grande serviette en papier autour du cou pour éviter les projections de sauce tomate. Ça faisait vraiment bizarre. *Freaky*. » Kathryn, soulagée, était à deux doigts d'applaudir : « *Fusilli*, c'est ça ! » Elle s'est tournée vers Craig : « On y retourne quand, en Italie ? C'était tellement beau. » Craig a haussé les épaules tout en vidant dans le verre de Pierce les deux centimètres de vin qui restaient au fond de la bouteille. Kathryn, elle, en a profité pour se rappeler qu'elle m'avait posé une question : « Donc, Géralde : ces *cheveux-fusilli*, vous faites comment, au juste ? »

That fusilli-shaped hair. Elle pensait certainement que je trouverais cela très drôle aussi puisqu'il n'y a, objectivement, rien d'agressif ni de méprisant à se faire comparer ses vanilles à des pâtes alimentaires. L'analogie est si évidente, en plus. Il faudrait avoir l'esprit bien mal placé. Étrange de se trouver malgré soi impliquée dans une conversation dont tu es, tout à la fois, le centre et l'exclue, le bouffon bâillonné. Comment dire *merde* à des gens *bien intentionnés* dont tu es l'hôte ? Comment, plus généralement, un Noir peut-il dire *merde* à un Blanc qui, comme chacun des deux crucificateurs de Jésus, *ne sait pas ce qu'il fait*, ou bien ce qu'il dit ? Tenir le coup en tant que Noir dans un monde de Blancs, ce n'est pas s'efforcer chaque jour de trouver des circonstances atténuantes à leur sentiment naturel de supériorité. C'est admettre une bonne fois pour toutes que, malgré tout ce qui vous séparera toujours, vous n'avez, les uns et les autres, pas d'autre choix que de vivre ensemble.

Après la tarte aux noix de Pécan, je n'ai pas fait de manières. J'ai décliné le digestif que Craig me proposait, et pas insisté lorsque Kathryn m'a ordonné, en fronçant des sourcils débonnaires, de reposer *immédiatement* la pile d'assiettes sales que je m'apprêtais à placer dans le lave-vaisselle et d'aller me coucher, *You're dead on your feet, Géralde*. J'ai dit merci pour le bon dîner, puis souhaité bonne nuit en me contentant d'agiter la main à distance, n'ayant aucune envie de zéler en allant faire la bise à chacun. Pierce et moi sommes sortis et avons pris ensemble le chemin de son *cabin*, comme un vrai couple tout neuf et plein d'avenir venant de passer avec succès l'épreuve *Beaux-parents*.

Dans la chambre, après avoir attrapé dans ma valise un pull, mon laptop et mes écouteurs, j'ai indiqué à Pierce qu'il pouvait aller se coucher sans moi, je le rejoindrais plus tard. Puis je suis ressortie dans le jardin, ne sachant trop si j'étais déçue ou bien soulagée qu'il n'ait pas songé à me demander pourquoi je m'absentais. Près du porche d'entrée de la maison familiale, il y avait un petit banc où la connexion wifi demeurait bonne. Je m'y suis assise pour poster, dans un premier temps, la photo du chiot antisismique sur Instagram. J'ai ensuite appelé ma mère par Skype. Elle déjeunait chez ma tante, à Romain-ville.

« *A ngouann dzam obeleu ki mbeumbeu king.* Ma fille, tu n'as pas une bonne voix », elle m'a dit d'entrée tout en terminant de mâcher sa bou-chée et en essuyant dans un mouchoir le bout de ses longs doigts fins aux ongles toujours faits. Avec ce décalage de quelques centimètres sous l'objectif de la webcam, ses yeux fixaient attenti-vement l'expression des miens. « C'est la fatigue, maman. J'ai à peine dormi six ou sept heures en tout depuis deux jours. » En disant cela, je savais qu'elle comprendrait que la fatigue n'était qu'un prétexte, qu'il y avait autre chose. Elle savait sur-tout très bien que je savais qu'elle comprendrait. Bref, des mots pour rien. Quel enfer douillet que n'avoir plus aucun secret aux yeux de la personne qu'on aime le plus au monde.

« Qu'est-ce qui se passe, hein, ma fille ? *Ye djom mising y'a ndeukle ?* Quelque chose ne va pas ? Dis-moi. » J'allais lui dire : « Rien de grave, maman. Juste que je me sens tellement seule et

101

tellement loin, juste que tu me manques tellement. Et que tout ça ajouté à la fatigue, ça me donne envie de craquer. Mais maintenant que je te vois sur mon ordinateur, maintenant que j'entends ta voix, ça va mieux. » J'ai eu envie de lui dire tout cela mais, à la place, j'ai fondu en larmes d'une seule pièce, en silence. *Tegue mam ma woulou ki.* Non, ça ne va pas. En voyant le retour de ma propre image, superposée à celle de ma mère dans un coin de mon écran, en voyant mes propres larmes qui ruisselaient dans la lumière douce provenant du porche attenant, j'ai redoublé de sanglots.

« *Assia*, ma chérie. » *Assia*, chez les Bétis, c'est un peu comme le *Sorry* américain : l'expression convenue d'une compassion qui ne résoudra rien à ta peine. Mais, dans la bouche d'une femme aussi mesurée émotionnellement que ma mère, avec sa voix lente, grave et dépourvue de toute affectation superflue, l'ensemble assorti de ce *ma chérie* qu'elle me réservait dans les cas d'authentique détresse, le mot retrouvait du sens. C'était un vrai mot de premier secours.

« Je veux rentrer, maman. J'ai fait une erreur, je n'ai rien à faire ici. » Les sourcils de ma mère se sont légèrement contractés tandis que, derrière elle, dans le couloir du fond, j'apercevais la silhouette de ma tante qui, sur le chemin de sa cuisine, ralentissait en jetant un regard interrogateur vers l'écran. « Tu es mal reçue ? » « Ah non, maman, pas du tout, ça non ! » j'ai protesté avec une sincérité qui m'a fait arrêter de pleurer.

« Ils m'ont fait un très bon repas, ils ne sont pas méchants. Un peu maladroits parfois, mais bon, je ne peux pas leur en vouloir pour ça, ils ne font pas exprès, ce n'est pas grave. Enfin, tu vois ce que je veux dire. » Je n'aurais pas imaginé déployer autant de conviction à défendre les parents de Pierce. La juste mesure des choses se révèle-t-elle dans la conversation plutôt que dans le circuit clos de nos réflexions ? Ou bien est-ce la conversation qui nous rend exagérément indulgents ?

« Ah, c'est important, ça. » C'est au *très bon repas* que ma mère faisait référence. Tout n'allait donc pas si mal pour moi. Mes susceptibilités express de petite Afropéenne trop fragile, elle ne relevait même pas. « Écoute, ma fille. Tu vas aller te coucher, bien récupérer et attendre demain. Les arrivées dans un pays étranger après un long voyage, c'est toujours comme ça : on se demande ce qu'on fait là, et puis on déprime. Laisse la nuit faire son job et attends demain. Tu ne sais pas encore ce qu'il peut t'arriver de bien. » Elle avait prononcé *job* comme le *Job* du Livre de Job, sans le son *d,* et roulé par inadvertance les deux *r* d'*arriver.* J'aimais, sous son accent qu'elle avait conservé intact depuis trente ans, l'économie limpide de ses phrases. *Tu ne sais pas encore ce qu'il peut t'arriver de bien.* D'où les mères tiennent-elles leur sens du mot juste ? À quel moment cessent-elles de subir la vie comme tout le monde, pour devenir des sommes d'expérience et de sagesse ? J'ai dit *oui maman*, j'ai salué et rassuré ma tante venue me demander si tout allait bien, puis j'ai coupé l'appel avec un sentiment mélangé, un peu vexée néanmoins que ma mère ne m'ait pas plainte davantage.

Sur Instagram, Fadila avait répondu à ma devinette accompagnant le chiot antisismique (*D'après vous, pourquoi de la Patafix sous les papattes ?*) par : *Pour le coller sur le mur ?* Je me suis contentée de taper *Du tout, cherche encore*, trop fatiguée pour faire de l'esprit. J'ai fermé mon ordinateur, je me suis levée du banc et, en contournant la maison afin de regagner la dépendance de Pierce dans le sens opposé à celui par lequel j'étais venue, je suis tombée sur Craig nu à travers l'une des fenêtres du rez-de-chaussée. Il était de trois quarts, seul dans la lumière de sa salle de bains, en train de se gratter frénétiquement le bas du dos avec le manche d'une brosse à dents. Les contours de son corps révélaient une bouée de graisse, tout autour de la taille, que je n'aurais pas imaginée. Le relâchement limite obscène de sa posture contrastait si fort avec l'image de sa chemise rayée impeccable aux manches retroussées que je n'ai pas songé tout de suite à tourner la tête et à poursuivre mon chemin. C'est dans cette seconde d'hésitation de trop que nos regards se sont croisés. Paralysée par la surprise et l'embarras, j'étais beaucoup trop proche de la fenêtre pour faire au dernier moment semblant de ne pas l'avoir aperçu. Soutenant mon regard avec un calme déroutant, *inapproprié*, il a cessé de se gratter et en a profité pour se tourner vers moi afin de m'offrir une vue intégrale et imprenable sur son sexe au repos. J'ai aussitôt baissé la tête et repris mon pas dans une indescriptible confusion.

Moi qui tâchais régulièrement de résister aux préjugés, je me suis souvenue de ce que me disait ma mère les quelques fois où, au collège, puis au lycée, je lui ai demandé si je pouvais aller dormir chez telle ou telle de mes camarades de classe blanches, comme elles le faisaient si naturellement entre elles. « Tu n'iras nulle part », répondait-elle invariablement, me laissant entendre de son ton glaçant que sa décision ne se négociait pas. « Je ne connais pas ces gens, toi non plus. On n'a aucune idée de ce qu'il peut t'arriver là-bas. Et comme je ne tiens pas à le savoir, tu resteras ici. »

J'avais douze, treize, quatorze ans seulement à cette époque. Mais je savais déjà que, par *Ces gens*, ma mère entendait *Les Blancs*. Avalant ma frustration, j'opinais en silence, n'ayant pas encore les mots pour lui dire : *Maman, pourquoi ces « gens » que tu ne connais pas, que tu ne connais que de très loin, par la télévision et les séries principalement, pourquoi leur prêter les mêmes raisons de se méfier d'eux que celles qui, au Cameroun, amènent tout le monde à se méfier perpétuellement de tout le monde, entre voisins, entre époux, entre amis, entre collègues de bureau et entre membres d'une même famille : jalousie, empoisonnement, sorcellerie, mauvais sorts et autres joyeuseries obscurantistes qui font le drame du pays et de tant d'autres sociétés*

africaines ? Si tu te mets à me refuser une soirée
pyjama entre adolescentes innocentes au prétexte que
le père de ma copine mettra un somnifère dans mon
Coca pour tranquillement venir me violer pendant
mon sommeil, comme cela a pu arriver à telle ou
telle fille de ton quartier quand tu vivais encore à
Yaoundé, comment continuer à décréter que ce sont
ces gens-là qui manquent d'esprit d'ouverture et pas
nous ?

J'ai repensé à tous ces clichés sur les Blancs
qui suscitaient la méfiance des Noirs et dont les
Blancs, en général, n'entendaient jamais parler
puisque n'accordant aucune valeur à ce que les
Noirs pouvaient penser d'eux. Se balader nu
devant ses enfants à la maison. Laisser le chien
dormir dans son lit. Le culte du diable chez les
fans de hard rock. Les séances de spiritisme à la
lueur d'une bougie. Les sports de l'extrême, la
scatophilie, les serial killers, tout ça. L'image du
regard trop calme de Craig à travers la fenêtre,
avec son pénis en libre-service, s'y inscrivait à
merveille. C'est maman qui avait encore raison :
on ne peut faire confiance à personne.

Je suis tombée sur une crêperie française
moins d'une demi-heure après être sortie de
chez Pierce. Enfin, une *crêperie* : il s'agissait d'un
stand jaune citron minuscule baptisé *Crêpes à
Gogo*, coincé entre les vitrines d'un opticien et
d'une boutique de vêtements, en plein centre-
ville. Une enceinte à l'intérieur diffusait du

Henri Salvador. Sous un petit drapeau tricolore, entre un alignement de pots de Nutella et de confitures, deux plaques chauffantes rondes. Aux murs, une carte plastifiée de l'Hexagone et de ses régions, comme à l'école primaire. Un poster représentant une 2 CV stationnée au pied de la tour Eiffel, ainsi que des dizaines de cartes postales reproduisant des affiches publicitaires du début du XXe siècle : *Promenade des Anglais, Les Chemins de Fer Français, Le Tour de France, Dubo Dubon Dubonnet, Marcel Marceau*. Et puis des marinières, des foulards rouges, des combos béret-baguette-moustache-cigarette, des coqs, des concours d'élégance et des tours Eiffel de toutes les couleurs et sous toutes les formes.

La carte du menu, elle, proposait des galettes *Paris For Ever, Complete de Luxe, Rustique* et autre *Taste of Provence*. En Afrique francophone, les propriétaires français de restaurants et de cafés français aménagent en général leur établissement selon *leur* propre interprétation de la culture locale, quitte à la dénaturer sans le moindre scrupule. Ils remixent à la sauce mondialo-occidentale masques, pagnes, bambous, etc. À l'inverse, lorsqu'ils choisissent d'ouvrir leur affaire dans des pays riches, ils sont prêts à sacrifier à tous les stéréotypes de déco pour renvoyer de la France l'image qu'on s'en représente et qu'on en attend sur place, c'est-à-dire à peu près la même que celle que proposent les duty free d'aéroports internationaux ou *Le Fabuleux Destin d'Amélie Poulain*. On est toujours à la fois le maître des uns et le laquais des autres. Le problème, c'est qu'on n'échange jamais les rôles. Bref, je ne me sentais pas d'humeur.

« Bonjour, je peux prendre une photo ? » j'ai demandé en français au jeune type qui se trouvait derrière le comptoir. Avec son mètre soixante-quinze, sa barbe d'un mois qui s'étendait jusqu'à la pomme d'Adam, son nez prépondérant, sa peau grisâtre, son chapeau trilby, ses plugs d'oreilles, écarteurs et piercings en tout genre et sa négligence dans sa façon de passer l'éponge sur son plan de travail où traînaient peaux de bananes et dépôts de farine, j'avais reconnu un compatriote. « Oui, bien sûr, sans problème », m'a-t-il immédiatement répondu, sans s'étonner plus que cela que je me sois adressée à lui dans sa langue. Je m'en suis un peu voulu de l'avoir abordé aussi sèchement et de l'avoir d'emblée réduit à des éléments aussi trompeurs qu'un corps et qu'un look. Il avait l'air gentil, au fond, ce type. Pourquoi partir du principe que les Français sont forcément pires que les autres, surtout à l'étranger ? Pourquoi nier que j'étais agréablement surprise de rencontrer un jeune vendeur de galettes bretonnes à 19 000 kilomètres de la France ? Ils n'étaient pas si mal, les Français, au fond. Peut-être pas toujours très délicats, mais je préférais certainement leur maladresse à la politesse trop souvent lisse et sans chaleur des Anglo-Saxons. Ils étaient certes organisés, pragmatiques, fiables et créatifs, les Anglo-Saxons. Mais tellement distants, tellement secs. Sexy uniquement sur un écran de cinéma. Au naturel, zéro.

Comme le crêpier était de bonne composition et que, si loin de France, la langue établissait entre nous une connivence de principe, je lui ai demandé de s'écarter un peu de son stand afin qu'il ne figure pas sur ma photo. J'en ai d'ailleurs profité pour faire une petite vidéo. Pendant quelques secondes, j'ai déplacé latéralement mon portable le long des cartes à tour Eiffel, French Cancan, *Cocorico* et consorts. Cerise sur le gâteau, la playlist passait à ce moment-là *Milord*, d'Édith Piaf. Le titre de mon post était tout trouvé : *Y'a bon la France*.

Pour lui témoigner ma reconnaissance, je lui ai commandé une *Big is Good* (bacon grillé, fromage, tomate et œuf). Ma crêpe brûlante glissée dans un petit cornet en carton, pas pressée de reprendre une promenade destinée surtout à prendre mes distances avec Pierce et sa famille, je lui ai demandé s'il connaissait un endroit pas cher où passer les trois nuits qu'il me restait à tuer avant mon vol retour pour la France. Je présumais qu'il allait me donner l'adresse d'un hôtel pour backpackers mais il m'a très naturellement proposé une chambre dans la colocation où il vivait. « La personne qui l'occupe n'est pas là en ce moment, on peut te la faire à trente dollars la nuit. »

Son tutoiement immédiat ne m'a pas froissée parce qu'il était sans agressivité et que je ne concevais pas que ce garçon puisse s'adresser autrement à quiconque, fût-ce une inconnue plus âgée que lui, comme moi. J'étais davantage partagée sur le fond : cherchait-il à gagner trente dollars sur le dos de son colocataire absent, ou bien à me rendre service ? Ce serait non, de toute façon. La perspective de dormir dans le lit d'un ou d'une inconnue, quel qu'il soit, son odeur, ses affaires, mon nez dans son intimité : je n'y pouvais rien, mais ça m'écœurait. Je n'avais malheureusement jamais eu d'inclination pour la camaraderie à la bonne franquette, avec tout ce que le terme sous-entend : entassements de vaisselle dans l'évier, draps pas changés, bac de douche pas rincé, ménage pas fait, pièces pas aérées, etc. Je dis *malheureusement* parce qu'on a tôt fait de te classer dans la catégorie des *chieuses* lorsque tu exprimes la moindre réticence concernant l'hygiène collective, et que la principale conséquence en est que tu finis par n'être plus jamais invitée nulle part. Et qu'il te faut de bons gros kilos de confiance en toi pour ne pas en conclure que c'est de toi que vient le problème. Que tu es trop coincée, pas assez jeune, pas assez *sympa*. Que quelques moutons de poussière sous ton lit et quelques croûtes alimentaires carbonisées autour des feux de la gazinière sont bien peu de chose en regard d'amitiés qui te passent sous le nez. Et puis, sans vouloir compulsivement tout ramener à la couleur de peau, on te le pardonne encore moins, évidemment, lorsque tu es noire. Je le lis en direct, ce qui leur passe par la tête dans ces cas-là, mais qu'ils ne te diront jamais en face parce que cela ne se fait plus, de nos jours, de remettre à leur place les minorités ethniques sans prendre de gants : *Mais elle se prend pour qui, cette conne ? Là d'où elle vient* vraiment, *elle va nous dire que tous les sols sentent le jasmin et les gazinières pètent l'Ultra brite ? D'abord, cela existe-t-il seulement, une gazinière, là d'où elle vient* vraiment *?*

« C'est clean, hein, t'inquiète », il a ajouté, fort à propos, sur un ton touchant de justification, comme si mon silence m'avait trahie. « Je n'en doute pas un instant », j'ai répondu en suçotant le bout de ma langue anesthésié par un traître morceau de fromage fondu encore bouillant. J'ai soufflé lentement sur la cime de ma crêpe pour la refroidir. « En fait, je devais rester plus longtemps, mais j'ai décidé d'écourter mon séjour. » Je ne parle jamais la première d'habitude. Je veux dire que j'ai pour principe de ne jamais entamer un dialogue en parlant de mes petits problèmes. Je préfère attendre que la curiosité de mon interlocuteur se manifeste naturellement. Mais j'avais besoin d'un échange apaisant. Et ce type, avec ses crêpes et ses piercings qui ne faisaient de mal à personne, me paraissait idéal pour une écoute désintéressée sans lendemain. *Service après-vente*, j'ai pensé. « Je n'ai même pas eu le temps de visiter quoi que ce soit. »

J'ai trouvé élégant que, plutôt que de me demander les raisons de ce départ prématuré, il prenne à cœur que je quitte le pays sans m'être donné la moindre chance de m'y plaire. Une

Asiatique ressemblant à l'acteur Tony Leung s'était entre-temps approchée du stand et considérait l'écriteau du menu avec attention. Le type a regagné son espace de travail, derrière le comptoir, tout en tirant son téléphone portable de sa poche. Après trois touchers sur l'écran, il a branché des écouteurs et m'a tendu l'appareil avec sollicitude : « Tiens, en attendant, appuie sur *Play* et écoute. » Chassant de mon esprit la pensée que les embouts de ces écouteurs avaient trempé dans le cérumen d'un autre, je les ai introduits dans mes oreilles et j'ai écouté.

Il s'agissait d'un fichier MP3 intitulé *New Zealand Bell Bird Sound*, d'une durée de près de trois minutes. Sur fond de bruit de vent dans le feuillage, un oiseau sifflait à intervalles plus ou moins réguliers les trois mêmes notes avec insistance. J'avais eu, dans ma vie, l'occasion d'entendre des choses plus spectaculaires, au Cameroun notamment, dans le petit jardin de mon oncle. Mais ces sons étaient frais et reposants. Surtout, j'étais touchée par la délicatesse naïve de ce garçon qui, avec tant de simplicité, ne réservait que de bonnes surprises. J'ai attendu qu'il finisse de servir l'Asiatique en mangeant ma crêpe et en écoutant le fichier jusqu'au bout, afin de lui montrer que j'accordais une réelle attention à son *bell bird*. La fille repartie, il a ôté sa paire de gants alimentaires jetables et je lui ai rendu son téléphone : « Voilà le genre de truc qu'il *faut* que tu voies ici », il m'a dit en insistant sur *faut*. « Il est super, ce pays. Tu ne peux pas partir comme ça. »

Je me suis demandé pendant un instant s'il était en train de me draguer. Tout ce que j'espérais, c'était qu'il ne me propose pas qu'on se revoie. Je n'aurais pas le temps de chercher des mots gentils pour lui dire non. « Si ça t'intéresse, il y a une conférence-buffet demain soir sur la Nouvelle-Zélande. C'est à l'Alliance française, ma copine bosse là-bas. » *Ma copine* : c'est par wagons entiers que, sans s'en douter, ce type me donnait des leçons d'humilité : non seulement il ne me draguait pas, mais il tenait à me rendre service. J'ai approuvé de la tête par politesse, sachant d'ores et déjà que je ne m'y rendrais pas, à son Alliance française. J'avais entendu le mot *Alliance française* dans ma vie. Mais, comme le Rotary Club ou l'Opus Dei, je le trouvais inquiétant tout en ne sachant pas à quoi il renvoyait précisément. Quant à la *conférence-buffet sur la Nouvelle-Zélande*, si le type ne l'avait pas dit avec un tel sérieux, j'aurais pensé à une plaisanterie. Après l'avoir remercié pour ses conseils, j'ai déclaré que j'allais continuer mon chemin. *Mais par quel bout reprendre une balade qui ne te mènera nulle part ?* me suis-je interrogée aussitôt. Trop grandiloquent pour un simple post sur Instagram.

« C'est à cause du sexe, c'est ça ? » Pierce avait retroussé le bas de son jean pour dégager sa cheville où rougeoyait une petite éraflure. Il ôtait les languettes de protection d'un pansement adhésif. « Non, Pierce, le sexe est très secondaire dans tout cela. C'est un ensemble. » En général, lorsque j'intégrais à ma phrase le prénom de l'homme auquel je m'adressais, c'est que, entre nous, la rupture était consommée, ou presque.

« Mouais. On dit toujours que les filles attachent plus d'importance aux sentiments qu'au sexe, mais je reste persuadé que ce sont des conneries, tout ça. Tout ce que je remarque, moi, c'est le contraire : le cul pour vous est deux fois plus important que pour les mecs. » *This is all bullshit.* Cela me fascinait toujours, la diversité des réactions des uns et des autres dans une situation donnée, en particulier lorsqu'il s'agissait d'amour. Aborder la question de la séparation, même au terme d'une relation aussi brève et aussi insignifiante que celle qui avait été la nôtre avec Pierce, moi, ça me mettait toujours dans un état d'intense émotion. Et rien alors ne me paraissait pouvoir toucher davantage au cœur de ma vulnérabilité. S'exprimer le plus clairement et le plus honnêtement possible dans la confrontation mais dans l'empathie, tout en cherchant à ménager l'autre, constater une fois encore l'échec de belles promesses : cela ne va tout de même pas de soi, non ? Pierce, lui, s'impliquait dans la conversation avec la conviction qu'il aurait mise à commenter la hausse du prix du kilo de courgettes.

« Pierce, ce ne sont pas *que des conneries*, non », j'ai dit avec le calme agacé que j'aurais réservé à un enfant mal éduqué. « Pierce, je vais t'expliquer un truc important. » J'ai fermé les yeux et pris une longue inspiration, comme si je me préparais pour une course de fond, ou une plongée en apnée. « Je ne devrais pas perdre mon temps à t'expliquer ça parce que je pense que nous ne nous comprendrons jamais tout à fait. Mais je vais te l'expliquer quand même. Je vais t'expliquer pourquoi, face à un homme, une femme peut très vite se sentir très seule. Et, surtout, pourquoi cela est beaucoup plus grave que ça n'en a l'air. »

S'il avait été littéraire, je lui aurais cité une phrase que je connaissais par cœur. C'est dans *L'Amant*, de Marguerite Duras. Marguerite Duras écrit :

Je n'ai jamais aimé, croyant aimer, je n'ai jamais rien fait qu'attendre devant la porte fermée.

À vingt ans, lorsqu'on nous avait fait étudier le roman à la fac, j'avais senti qu'il y avait quelque chose de fondamental dans cette phrase, mais sans être en mesure de m'expliquer quoi. Ce n'est que des années plus tard, après avoir appris à mieux me connaître moi-même et à mieux connaître les hommes, après avoir compris que ce sont les femmes qui sont mieux placées que les hommes pour parler d'amour et en donner, que c'est toujours à une femme de revoir ses prétentions à la baisse lorsqu'elle demande à son homme un peu de répondant à l'amour qu'elle lui donne, lorsque j'ai compris qu'en amour les femmes valaient mieux que les hommes, que les femmes valaient peut-être mieux que les hommes tout court, qu'ils ne nous méritaient pas, qu'il y avait en tout cas en amour beaucoup plus de femmes valables que d'hommes valables, c'est seulement une fois capable de mettre des mots sur mes attentes et mes déceptions amoureuses, c'est seulement à ce moment-là que j'en ai saisi le sens, de cette phrase. Peut-être Marguerite Duras avait-elle voulu exprimer là tout à fait autre chose que ce que je comprenais, moi. Peut-être même le contraire. Mais comme on ne comprend dans un roman, comme dans un film, dans un tableau ou dans n'importe quelle œuvre d'art, que ce qu'on veut bien y comprendre, alors j'ai décidé que cette phrase parlait magnifiquement de ce que *je* ressentais.

Pour moi, la *porte fermée* à laquelle elle fait allusion n'est pas celle de l'amour. Je veux dire : ce n'est pas l'Amour qui a décidé une fois pour toutes de fermer sa porte à la narratrice de *L'Amant* au prétexte qu'elle serait *par nature* incapable d'éprouver pour un homme d'authentiques sentiments. Non, cette porte, c'est elle-même, c'est son propre cœur. Et si elle reste désespérément fermée, c'est qu'aucun des hommes qu'elle aura « cru aimer » n'aura su l'ouvrir. Tu ne peux que finir par *croire* avoir aimé lorsque celui que tu as aimé ne s'est pas montré à la hauteur de l'idée que tu te fais, toi, de l'amour. Lorsque lui n'a rien donné en comparaison de ce que tu as donné, toi. Cette phrase est un constat désespérant de la solitude des femmes en amour. Si seules qu'elles finissent par ne trouver personne d'autre qu'elles-mêmes à tenir pour responsables de cette solitude. C'est cette double injustice-là qui est tragique et sans issue.

À présent, Pierce lissait avec obstination sur sa cheville les deux extrémités de son pansement. Comme je m'étais tue, il s'est interrompu et a relevé vers moi un regard passif où se lisait un point d'interrogation : je mettais un temps anormalement long à le lui expliquer, mon *truc* si *important*. Toujours en silence, j'ai attrapé mon téléphone et j'ai tapé dans le moteur de recherche *Marguerite Duras I have never loved*. J'ai atterri sur un site, goodreads.com, qui me proposait des citations tirées d'une traduction anglaise de *L'Amant*. J'ai jeté un coup d'œil à Pierce pour m'assurer qu'il suivrait, puis j'ai lu tout haut :

I have never loved, though I thought I loved, never done anything but wait outside the closed door.

Pierce a rabaissé son jean sur sa cheville puis a renfilé sa chaussette. « Et la *porte fermée*, c'est moi, c'est ça ? » Sans lien apparent avec sa propre remarque, comme sous l'emprise provisoire d'une drogue avec ses yeux dont l'expression s'était soudain durcie, il s'est emporté en déclarant qu'en Nouvelle-Zélande, c'était toujours les filles qui décidaient de donner suite ou non aux signes de convoitise que les hommes leur lançaient. Il a dit : « Le sexe, ici, c'est après avoir bu cinq ou six bières qu'il se pratique. Si la fille est d'accord, tu la ramènes chez toi (ou elle te ramène chez elle) et vous passez la nuit ensemble. Le lendemain matin, au réveil, c'est pratique : comme on s'est endormis trop bourrés la veille pour se souvenir de quoi que ce soit, on n'est pas forcés de se revoir. » *We're not compelled to meet again.*

J'ai hésité, puis finalement renoncé à lui demander quel était le rapport entre ce qu'il venait de m'expliquer et le passage que je venais de lui lire. « Comment veux-tu qu'on *ouvre la porte* à qui que ce soit dans un pays où règnent les *ladies nights* du vendredi soir ? » il a poursuivi sur un ton artificiellement détaché cette fois, tout en faisant légèrement pivoter sa chaussette sur son pied pour y ajuster l'arrondi du talon. J'ai repris mon téléphone portable. Il y avait un deuxième extrait de *L'Amant* sur la page. Ça disait :

He says he's lonely, horribly lonely because of this love he feels for her.
She says she's lonely too. She doesn't say why.

3

L'Alliance française de Wellington, c'était un open space au troisième étage d'un immeuble de bureaux du centre-ville. On y donnait des cours de français, mais on pouvait aussi y converser (en français) le samedi matin autour de croissants fournis par un pâtissier (français) de la ville, devenir membre du ciné-club (films français) ou d'un chœur féminin au répertoire franco-néo-zélandais baptisé *Voix de femmes*. Assez régulièrement s'y tenaient aussi des soirées dégustation de produits gastronomiques français et des conférences. Une *conférence à l'Alliance française de Wellington*, j'avais imaginé cela assez solennel : une salle spécifique, des sièges capitonnés pour le public, une estrade, un pupitre, un écran, du matériel. Ici, on avait rassemblé une trentaine de chaises devant le bureau d'accueil et branché un vidéoprojecteur et une enceinte de sonorisation d'appoint. Le micro du conférencier patientait au bout de son fil sur une chaise à part.

Depuis un canapé, j'observais Céline, la copine de Mathieu le crêpier, régler avec ardeur les derniers détails de l'installation avant l'arrivée du conférencier. À présent, c'est une petite bouteille d'eau minérale et un gobelet en plastique qu'elle venait de déposer au pied de sa chaise. Elle était jolie, avec ses cheveux ramenés en un chignon désordonné, avec sa longue chemise à côtés échancrés, son jean skinny finement ourlé en bas et ses Stan Smith d'où dépassait à peine une bordure de mini-socquettes blanches. L'ensemble formé par l'expression de son regard, ses joues, son nez et le dessin de ses lèvres pouvait faire penser à l'actrice Adèle Exarchopoulos. Son style dans son ensemble était plus classique que celui de Mathieu. Si le couple qu'ils forment tous les deux s'autorise un tel contraste de styles, j'ai pensé, c'est qu'il est appelé à durer.

Arrivée en Nouvelle-Zélande un peu plus d'un an auparavant avec le même visa vacances-travail que le mien, elle avait débuté comme ouvreuse de cinéma la journée et serveuse le soir dans un restaurant-boîte de nuit sénégalais qui s'appelait *Afrika*. Un *restaurant-boîte de nuit sénégalais* : stupidement, je m'étais retenue de lui manifester mon étonnement et ma curiosité parce qu'elle m'avait livré l'information dans le flux de notre conversation, sans connivence particulière, de la façon la plus désintéressée qui soit, et que je ne voulais pas me réduire moi-même à ses yeux à mon lien trop évident avec l'Afrique. Quelques semaines avant l'expiration de son visa, elle avait trouvé ce job à temps partiel d'animatrice culturelle à l'Alliance française. Mal rémunérée en contrat local, cet emploi lui permettait surtout de bénéficier d'une prorogation de son visa de travail, donc de se faire employer ailleurs pour compléter son salaire. Ces temps-ci, elle travaillait dans une boutique de prêt-à-porter masculin. Avec le petit revenu de chez *Crêpes à Gogo* de Mathieu, qu'elle avait rencontré quelques mois auparavant, ils s'en tiraient tout juste. Mais, au moins, *n'étaient-ils plus en France.* « Dans ce pays, avait-elle conclu joliment lorsque Mathieu nous avait présentées l'une à l'autre, même le train-train te change les idées. »

À vingt-quatre ans seulement, elle avait déjà obtenu une bourse Erasmus d'un an en Angleterre, donné des cours d'alphabétisation à Toulouse, passé son BAFA, effectué le tour de l'Australie en camping-car avec son précédent copain, été employée comme travailleuse saisonnière dans un vignoble de l'île du Sud. Depuis son arrivée en Nouvelle-Zélande, elle avait sauté à l'élastique, fait du rafting, une randonnée glaciaire, du surf, campé en pleine nature. Plus jeune, avec l'argent de ses divers petits boulots, elle avait voyagé sac au dos au Pérou, au Chili et au Vietnam avec sa meilleure amie tout en tenant le blog de leurs aventures. Je la regardais avec envie. Ces filles-là ne savent pas leur privilège, j'ai pensé. D'avoir la bonne couleur de peau, les bons cheveux, d'avoir passé leur permis de conduire à vingt ans, appris à nager et à skier dans leur petite enfance aussi naturellement qu'on apprend à marcher. D'avoir eu leur premier rapport sexuel en toute tranquillité, sans s'être senties obligées de le dissimuler à la terre entière. D'avoir invité leur petit copain à dormir dans l'appartement familial en présence des parents et d'avoir eu par la suite des partenaires de lit aussi naturellement qu'on va faire ses courses ou qu'on prend le métro, sans que cela pose de problème à personne. De prendre la pilule chaque jour comme on avale un bonbon, de ne pas faire un drame d'un avortement si elles tombaient enceintes à un mauvais moment, avec les mots de consolation de maman en prime pour les désagréments subis. De bronzer seins à l'air sur les plages publiques en été. De n'avoir jamais ressenti la moindre honte pour rien. De n'avoir pas été emmenées, elles, de force à l'église chaque dimanche jusqu'à leurs dix-sept ans. D'avoir eu un papa présent et soucieux de leur bien-être. Des parents *cool*, modernes, tolérants, financièrement solvables et propriétaires de leur logement. D'être promises à devenir des héritières, propriétaires un jour à leur tour. De pouvoir divorcer et refaire leur vie sans que cela choque personne au sein de leur famille. Bref, elles ne connaissent pas leur chance d'avoir pu se faire transmettre aussi simplement une *confiance* en elles-mêmes, uniquement parce qu'elles ont été protégées. Suffisamment confiance en tout cas pour ne reculer devant rien, pour se rendre utiles, pour être efficaces, pour afficher naturellement, à moins de vingt-cinq ans, le même air affairé que cette Céline, quelques minutes à peine avant l'intervention d'un conférencier compatriote dans un lieu naturellement dédié à la culture de son pays. Pour pouvoir se *débrouiller toutes seules* n'importe où, pour tout s'autoriser sans le moindre complexe, comme si la vie et ses plaisirs étaient un dû. Suffisamment confiance pour quitter leurs familles et se permettre de partir tenter leur chance au bout du monde en disant : *Au moins, je ne suis plus en France.* La chance de ne jamais avoir eu à composer chaque jour avec une puissante culture d'origine, aux valeurs fortes et souvent antagonistes de celles des femmes « libérées » dans leur genre, avec des mots à ne pas prononcer en public, des gestes à ne pas faire, des lieux où ne pas se rendre et des gens à ne pas fréquenter parce qu'il faut s'en méfier. Avec des sous qu'on compte tout le temps mais sans trop en parler non plus. Avec des tâches de femmes dont il faut apprendre à s'acquitter dès ta prime adolescence, pendant que tes copines blanches vont à leur cours de piano ou en week-end à la campagne pour faire du cheval : s'occuper de tes petits-cousins comme si c'était toi leur mère, tresser tes cousines deux pleins samedis par mois, faire le marché avec ta mère, porter, éplucher, cuisiner, nettoyer, ranger la maison. Avec une mère pas si vieille mais déjà ancienne, que tu aimes plus que tout au monde mais soucieuse, fatiguée, résignée.

En somme, le profil de Céline ressemblait à celui de très nombreuses jeunes femmes des classes moyennes françaises du début du XXIᵉ siècle. Les filles comme elle, ce n'est pas tant ce qu'elles incarnaient que leur invincible innocence que j'enviais. Je les enviais d'ignorer ce que pouvait représenter leur pedigree aux yeux de filles comme moi, nées dans le même pays qu'elles, possédant le même passeport qu'elles, s'étant assises sur les mêmes bancs qu'elles à l'école, ayant aux yeux de la République autant de bonnes raisons qu'elles de mener une vie comparable à la leur. Je les enviais de pouvoir s'adresser à moi comme si cela allait de soi pour moi aussi, toutes ces libertés innées dont elles usaient et abusaient. De ne pas imaginer un seul instant par quelles mutations mentales il me fallait passer afin d'être acceptée par tout le monde : par elles qui n'avaient pas de temps à perdre avec les principes et les pudeurs parfois un peu trop pesants de ma mère. Et par ma mère qui ne voulait rien entendre à leurs légèretés, caprices et indécences en tout genre.

Le conférencier ne m'avait pas été présenté mais c'est sur moi que, tout au long de sa causerie, son regard était revenu le plus souvent se poser. Au début, j'ai cru à un truc de professionnel de la communication, du genre : *Alterner balayage de chaque visage dans le public et point de référence visuelle régulier sur une personne donnée, choisie au hasard*. J'ai pensé ensuite que c'est peut-être parce qu'il avait séjourné un peu partout dans le monde au cours de sa vie, notamment au Mozambique, qu'il avait le réflexe de fixer son attention sur les physionomies qui tranchaient sur le reste d'une assemblée, les Noirs de préférence. Lorsque j'ai dû admettre qu'il tenait à me faire comprendre que c'est moi qui l'intéressais tout particulièrement, j'ai été saisie d'un embarras très inhabituel. Il y avait de l'effraction dans son regard, quelque chose d'ouvertement intrusif qui, d'ordinaire, l'aurait d'emblée disqualifié. Mais l'intelligence de ses yeux, son assurance, la qualité de sa langue ne me laissaient pas le choix : il me fallait lui retourner ce regard malgré ma tentation de baisser mes yeux chaque fois qu'ils croisaient les siens. Au point que j'avais fini, petit à petit, par ne plus parvenir du tout à rester concentrée sur ce qu'il racontait. Je me sentais intimidée, et cette seule pensée suffisait à m'occuper tout le cerveau. J'ai saisi discrètement mon téléphone dans mon sac, j'ai pris un snap de mes pieds sanglés dans mes sandales et j'ai écrit comme légende : *Qu'est-ce qui m'arrive ?* Puis j'ai posté.

En relevant la tête, je me suis contrainte à un peu de sérieux et d'attention. Hadrien Brach-Rousseau était en train d'évoquer à présent la publication, en août 1959, d'une affiche intitulée *No Maoris, No Tour*, dont une photo était projetée sur le mur. Il s'agissait, disait-il, d'une pétition émanant d'une association antiraciste néo-zélandaise à l'occasion d'une tournée mondiale de l'équipe nationale de rugby. Parce qu'elle passait par l'Afrique du Sud, alors sous apartheid, la fédération kiwi de rugby avait expurgé les All Blacks de ses joueurs maoris à la demande des autorités sud-africaines, ce qui avait fait scandale auprès d'une partie de la population. D'où ce *No Maoris, No Tour*, qui avait recueilli à l'époque 150 000 signatures.

« Exactement au même moment aux États-Unis, ajoutait-il, il faut savoir qu'on sortait à peine de la crise des *Neuf de Little Rock*. » Nouvelles photos à l'appui, il a brièvement rappelé l'histoire de ces neuf lycéens noirs de Little Rock, en Arkansas, faisant leur rentrée dans une école publique jusque-là fréquentée uniquement par des Blancs, escortés par l'armée afin d'échapper au lynchage de la population, qui voulait maintenir les usages ségrégationnistes malgré la loi fédérale. Au cours des quelques minutes qu'il a passées à évoquer les droits civiques américains, il ne m'a plus jeté un seul coup d'œil. Je me suis demandé si c'était par délicatesse, pour ne pas insister lourdement à la faveur d'un sujet qui me concernait davantage que les autres. Ce temps m'a paru suffisamment long en tout cas pour réaliser que j'en nourrissais une subtile inquiétude. Son regard me manquait. J'ai repris mon téléphone portable en inversant cette fois la caméra en position selfie. J'ai de nouveau baissé la tête, fermé les yeux, inspiré profondément et appuyé. J'ai écrit : *Mais qu'est-ce qu'il m'arrive (2) ?*

J'en ai profité pour entrer le nom *Hadrien Brach-Rousseau* dans Google. Sur *Images*, il y avait des dizaines et des dizaines de photos de lui. J'avais beau faire défiler les pages sur mon écran, de nouvelles séries de photos apparaissaient à chaque fois. J'ai pensé qu'il ne m'avait pas été donné jusqu'ici de rencontrer quelqu'un qui bénéficiait d'une telle notoriété. Micro à la main le plus souvent, il était photographié à l'occasion de colloques, de rencontres universitaires, de sommets internationaux. Il y avait aussi des captures d'écran de ses passages à la télévision. Quelques photos le représentaient sur le terrain : devant une mosquée, au milieu des gratte-ciel à New York, dans un camp de réfugiés des Nations unies. Casqué et vêtu d'un gilet pare-balles marqué *Press* sur le front d'un pays en guerre. Posant sur une photo de groupe aux côtés d'Aung San Suu Kyi au palais de l'Élysée, en 2013. En lunettes de soleil à la barre d'un voilier. Il portait essentiellement des chemises bleu ciel, blanches ou en jean dont il ouvrait les deux derniers boutons et retroussait légèrement les manches. Plus rarement le costume et la cravate. Jamais de polo ou de t-shirt. Sur Wikipédia, sa notice indiquait qu'il était né en 1974. Je n'ai pas pu m'empêcher de faire le calcul : nous avions douze ans de différence, c'était trop.

Il était né à Rabat d'un père diplomate. Diplômé de Sciences Po Paris et de l'École normale supérieure. Auteur de deux documentaires pour la télévision : l'un commandé par

l'Unesco sur Andy Palacio, un chanteur gari-
funa du Belize, juste avant sa mort, en 2008. Un
autre sur la grève générale aux Antilles françaises
de 2009 diffusé sur Arte. Des reportages pour
les revues *XXI* et *Long Cours*. Professeur invité
à l'université de Duke, aux États-Unis, pour
un cours sur l'histoire du reportage de guerre.
Décoré chevalier des Arts et Lettres en 2011 par
le ministre Frédéric Mitterrand. Son frère était le
navigateur Vincent Brach-Rousseau, champion
de course en solitaire.

À tout hasard, j'ai saisi cette fois dans ma
barre de recherche les mots clés *Hadrien Brach-
Rousseau* et *femme*. Google ne m'ayant rien restitué de significatif qu'une référence à l'un de ses
reportages publié en 2011 intitulé *À Tachkent,
l'infamie faite femme*, j'ai ressenti un frisson de
soulagement aussi vif qu'injustifié. La si plate
expression *Il y a donc de l'espoir* venait de se
former bien malgré moi dans ma tête et j'en ai
éprouvé une honte intime, profonde. J'étais une
autre. Le temps de m'égarer en rêveries sur le
genre de femme qui était susceptible de partager
la vie d'Hadrien Brach-Rousseau, il s'était tu
afin de laisser un micro circuler parmi l'auditoire
pour les questions.

En général, j'étais plutôt prompte à prendre
la parole dans ces cas-là. Je n'aimais pas tant
participer au débat que *trouver quelque chose à
dire*. Je l'admets sans vergogne : par pur plaisir
de me faire remarquer. Sans doute pour compenser mon regret de ne m'être jamais trouvée

moi-même à la place de ceux qui étaient sur l'estrade ou sur la scène. Devenir artiste, écrivain, actrice, journaliste, femme politique, avocate : j'en rêvais à dix-huit ans, sans imaginer qu'une fois adulte, ma profession et mon destin se révéleraient beaucoup plus banals que prévu. « Tu es un lion sans cour ni couronne », avait résumé un jour Eduardo avec ses vestiges d'accent argentin. Il faisait référence à mon signe astrologique, dont on dit, dans les magazines féminins, qu'il ne peut s'accomplir que dans *la lumière* et *les louanges*.

Cette fois, impossible de lever la main. Il paraissait pourtant si logique que je le fasse, afin de bien signifier à Hadrien Brach-Rousseau que ses regards n'avaient pas été vains, qu'il n'était pas seul, que j'avais compris, que j'avais aimé notre jeu et que je désirais qu'on le poursuive ensemble. Est-ce la confusion qui me paralysait ou, plus probablement, la crainte de ne pas me montrer digne de la notice Wikipédia de cet homme de bonne famille, élégant et cultivé, qui avait eu forcément tant d'occasions au cours de sa carrière d'en rencontrer de plus intelligentes, de plus brillantes et de plus spectaculaires que moi, des femmes ?

À la fin de la séance de questions-réponses, lorsque les gens se sont levés pour se diriger vers la longue table à tréteaux où avaient été disposés les couverts en plastique, le vin, les salades, le pain, les charcuteries et les fromages, j'ai hésité. Je ne me sentais pas suffisamment d'énergie pour faire la conversation à Mathieu et Céline, mais je n'avais pas non plus envie de rentrer tout de suite à mon Bed & Breakfast. Devant moi, à quelques mètres à peine, ce sont surtout les femmes qui se pressaient autour d'Hadrien Brach-Rousseau. Lequel, tout en assurant sourires, bons mots et poignées de main à ceux qui venaient le solliciter, continuait de me lancer des regards de contrôle par-dessus leurs épaules, comme s'il voulait s'assurer que je n'allais pas quitter la soirée sans que nous ayons eu un vrai contact.

C'est arrivé assez rapidement, au moment où je me suis décidée à aller chercher quelque chose à manger. J'accédais à la table lorsque j'ai perçu sa silhouette fendre d'un coup le petit groupe qui l'accaparait. « Je peux me permettre de vous servir ? » il a dit en apparaissant devant moi et tout en désignant la pile des assiettes en plastique. Comme si j'étais son invitée privilégiée, comme s'il était mon obligé. Sans bonsoir ni transition quelconque, comme s'il allait de soi que les présentations avaient déjà été faites, et la conversation déjà entamée depuis longtemps. Comme si nous n'avions nul besoin lui et moi d'en passer par les plates formules d'usage des autres.

Davantage encore que son exquis *Je peux me permettre de*, j'ai aimé la sincérité de son dévouement. Dans la périphérie de mon champ de vision, je sentais à mon intention les regards offensés des dames à qui Hadrien Brach-Rousseau venait d'échapper sans ménagement. J'aimais qu'il ait renoncé à leurs compliments pour prendre la liberté de venir me voir, moi. Qu'il se soit permis avec tant d'aplomb et de décontraction cette audace qui défiait la bienséance et le qu'en-dira-t-on. Je me sentais sourire stupidement, avec ce pli bizarre que prend ma lèvre supérieure lorsque je suis heureuse en silence, plusieurs de mes ex me l'ont fait remarquer. « On croit d'abord que tu te moques, que tu penses à quelque chose de drôle. Mais en fait, non, c'est du bonheur », m'avait également expliqué Eduardo le jour où, profitant de mon absence, il avait rempli le studio de fleurs et préparé un dîner aux chandelles pour mon anniversaire.

Pour s'assurer que j'aimais ou non un aliment qu'il souhaitait intégrer à mon assiette, Hadrien Brach-Rousseau se contentait de tourner légèrement la tête vers moi et de hausser un sourcil interrogateur. Puis il opérait par les mêmes gestes précis et rapides à chaque étape suivante. La dextérité avec laquelle, notamment, il saisissait avec la fourchette le bord des tranches de jambon cru pour en faire de petits rouleaux plus pratiques à croquer m'a plongée dans cette fascination que l'observation des vagues ou d'un feu de cheminée peut déclencher. Au point que j'ai oublié de lui faire non de la tête lorsqu'il m'a indiqué le pot de cornichons juste après, moi qui déteste ça, les cornichons. Aux rillettes, je n'ai pas eu besoin de lui confirmer que je n'en prendrais pas. Il a désigné le tas de graisse beige en prenant un air dégoûté qui m'a fait éclater de rire. Cet homme avait parfaitement intégré ce qui rend un homme désirable aux yeux d'une femme : mieux qu'anticiper ses désirs, que celui-ci les *détermine*. Qu'il décide pour elle, mais tout en lui donnant l'illusion qu'il lui laisse le choix.

Après un passage par la corbeille de pain, Hadrien Brach-Rousseau a pointé l'espace bar du menton en me demandant si je buvais de l'alcool. C'est une question que ne posent que ceux qui ont vécu ailleurs et réfléchi autrement, j'ai pensé. Tout en reconnaissant que s'il s'était agi d'un autre que lui, j'aurais pensé plutôt : C'est parce que je suis noire que je dois nécessairement être musulmane ? Je lui ai répondu *oui* spontanément, sans bien savoir pourquoi. Pour ne pas paraître trop coincée, sûrement. Autrement dit, par peur de lui déplaire. Aucun homme n'avait eu jusqu'ici le pouvoir de me faire dire ce que je ne pensais pas juste par désir de lui plaire. *Subjuguer* quelqu'un, est-ce que cela signifie lui faire perdre pied avec lui-même, en latin ?

Après m'avoir versé du vin dans un gobelet, il s'est approché et m'a tendu une assiette joliment présentée, où les saveurs et les textures étaient méthodiquement compartimentées, et les portions ni chiches ni exagérément copieuses. « Je vous ai vue hier après-midi sur le port, du côté du Musée national. » Nous étions assez près l'un de l'autre pour que je devine, aux fins traits blancs encadrant les commissures extérieures de ses yeux, qu'il devait souvent les plisser sous le soleil. En observant le teint de son visage et le triangle de peau de son torse que laissait entrevoir sa chemise à peine déboutonnée, j'ai imaginé qu'un tel épiderme devait sa qualité à une alimentation riche en fibres et en vitamines naturelles.

« Vous regardiez les enfants qui sautaient du plongeoir. » Je ne savais pas quoi répondre à cela. Depuis le début de cette conversation, dont il demeurait maître du rythme, j'avais la sensation de me laisser emporter par un courant puissant. Manquais-je de savoir-vivre, à ne pas lui parler de sa conférence ? Est-ce au fond ce qu'il attendait de moi pour juger que notre échange en vaudrait la peine ?

« Seule différence, vous aviez attaché vos cheveux. » Comme une majorité de femmes noires, toute allusion à mes cheveux grattait ma susceptibilité et pouvait réveiller à tout instant mes mécanismes innés d'autodéfense. Cette fois, c'est mon bas-ventre que les mots d'Hadrien Brach-Rousseau étaient allés trouver. Qu'il s'aventure à évoquer mes cheveux attachés, cela m'a soudain paru d'une effronterie tout aussi raffinée qu'érotique. Est-il possible qu'un homme dont tu viens à peine de faire la connaissance mentionne sans arrière-pensée tes cheveux noués ? Agaçant de la pointe de ma fourchette la même portion de salade piémontaise depuis deux bonnes minutes, je lui ai servi une platitude : « Ah bon ? je ne savais pas que le Musée national se trouvait là-bas. » Il m'a répondu qu'il y était allé surtout pour voir la réplique du traité fondateur de la répartition des terres entre colons britanniques et chefs maoris au XIXe siècle, mais qu'il avait été un peu déçu par l'ensemble. Pendant un instant, pour dire quelque chose d'intéressant, j'ai été tentée de lui demander s'il avait pu observer ces têtes réduites maories, dont Pierce m'avait parlé à plusieurs reprises pour avoir participé au programme de leur restitution par différents musées européens et américains. Mais je n'avais, de près ou de loin, aucune envie de faire référence à Pierce. « Et ce traité, que dit-il exactement ? » j'ai improvisé à la place. Je m'obstinais dans la tiédeur.

« Eh bien, il met les formes pour dire qu'une fois de plus, c'est le colon qui décide », a souri Hadrien Brach-Rousseau d'un air entendu. J'ai ri avec exagération, ne sachant s'il était en train de me tendre ou non la perche pour que nous discutions politique et histoire coloniale. La pensée que ce type ne tolérait peut-être que des conversations intelligentes me coupait toute spontanéité. Redoutant que la confusion ne me fasse dire des bêtises sur un sujet qui ne me donnait d'habitude pas envie de badiner, j'ai préféré poursuivre en terrain neutre : « Et qu'est-ce qui vous a déçu dans ce musée, alors ? » Niveau niaiserie, j'avais rarement fait pire. Pour étouffer ma honte qui n'en finissait plus d'enfler, j'ai piqué nerveusement dans une pomme de terre.

Il a commencé par dire que c'était un musée calqué sur le modèle *Smithsonian* américain. Chez un autre que lui, la mention d'un mot aussi culturellement connoté que *Smithsonian*, sans se demander si ton interlocuteur en connaît le sens, ça m'aurait énervée. Comme s'il avait perçu dans mon expression un gramme d'hésitation, il a habilement reformulé sa phrase en précisant qu'il s'agissait d'un musée gratuit et destiné au grand public, donc à tendance très vulgarisatrice, voire ludique. Comme je n'avais personnellement rien contre la vulgarisation, surtout dans le domaine de la culture, je me suis demandé si Hadrien Brach-Rousseau n'était pas un peu snob sur les bords. « Je vais arrêter de prendre des gants : c'était très emmerdant. » Dans le vocabulaire d'un autre que lui, *emmerdant* aussi m'aurait heurtée. Son haleine était un mélange de champagne et de quelque chose de très léger, comme une mousse d'agrumes. Moi qui d'ordinaire n'avais aucun goût pour le détail de nos arrière-cuisines corporelles, je me suis fait la réflexion cette fois qu'il devait posséder un excellent système de digestion.

« Il y a les reproductions grandeur nature d'une pirogue à balancier et d'une maison traditionnelle maorie réservée au conseil des sages. Tout est verni, ciré, lustré, éclairé aux halogènes, avec du bois tout neuf et du parquet industriel au sol. On vous présente ça avec la même componction qu'on réserverait à des reliques sacrées, mais c'est beaucoup trop impeccable pour faire rêver.

C'est comme ces cases d'esclaves et ces maisons de propriétaires dans les anciennes plantations de Louisiane qu'on peut visiter aujourd'hui : je ne comprendrai jamais cette façon qu'ont les Américains de ripoliner l'Histoire pour la rendre plus présentable. Question de goût, sans doute. »

C'était la première fois que je rencontrais le mot *componction* ailleurs que dans un livre. Qu'est-ce que cela signifiait exactement, déjà ? Je me suis aussi demandé si c'était à dessein qu'il multipliait les allusions à l'oppression exercée par l'Occident au cours de l'Histoire, ou bien si c'était une déformation professionnelle. Mon assiette en équilibre dans la paume de ma main, mon gobelet de vin dans l'autre, je n'avais toujours pas porté à ma bouche le moindre aliment. Suffit l'état de béate hébétude, il était temps que j'aie une voix, moi aussi. J'ai contre-attaqué en lui disant que, *ripoliné* ou pas, je regrettais de ne pas y avoir fait un tour, dans ce musée. Procédant avec lenteur, il a retiré de sa bouche le noyau d'une olive noire, dégluti. Puis, ayant effectué lèvres closes un discret mouvement indiquant qu'il dégageait ses dents de tout résidu alimentaire, il m'a souri son refrain : « Si vous n'avez rien prévu d'autre, *je peux me permettre* de vous y donner rendez-vous demain ? »

Qu'est-ce que c'est que cette histoire de « Que m'arrive-t-il ? » m'avait écrit Fadila sur Instagram. *Tu ne te sens pas bien ? Tu es malade ?*

Mes deux posts envoyés pendant la conférence d'Hadrien Brach-Rousseau à l'Alliance française n'avaient recueilli en tout qu'un seul *J'aime* de Sabine, laquelle avait une tendance excessive à considérer *génial* tout concept artistique délibérément opaque. Il était treize heures en France, Fadila prenait sa pause déjeuner à côté du ministère. Je la retrouvais sur Skype moins d'une semaine après l'avoir quittée à Paris dans l'émotion des grands adieux. Si je n'avais pas décidé d'écourter si tôt mon séjour en Nouvelle-Zélande, la voir sur mon écran aurait été une fête. Je lui aurais dit qu'elle me manquait et j'aurais sans doute éprouvé un vertige à l'idée de ne pas savoir exactement quand je la reverrais. Au prix d'un petit accès de nostalgie, j'aurais pris la vraie mesure de ces milliers de kilomètres qui nous séparaient et de ce bond dans l'inconnu auquel je me livrais pour la première fois de ma vie. Je me serais fait une idée de la saveur de l'aventure. Là, à quarante-huit heures à peine de mon vol de retour vers Paris, le charme avait été rompu dans l'œuf. Bref, *tout ça pour ça*.

« D'abord, ce n'était pas *Que m'arrive-t-il* mais *Qu'est-ce qui m'arrive ?* Nuance. » Fadila avait toujours été la première informée dans le détail de chacune de mes histoires d'hommes. Jusqu'à sa rencontre avec Cyril, nous avions un rituel, elle et moi. Que ce soit de vive voix dans un café, par téléphone ou par texto, avant que l'une ne se lance dans une description précise de son amant du moment, l'autre devait commencer par une question préalable, toujours la même : *Jim ou Jimmy ?* Cela signifiait : ce gars, est-ce le prince charmant, le vrai, le définitif, le solide, l'indubitable ? Ou bien le type d'une nuit, d'une semaine ou de quelques mois à tout casser ?

Aucune d'entre nous n'avait jamais répondu *Jim* parce que l'exercice exigeait une honnêteté absolue, et puis parce que Fadila et moi étions deux filles suffisamment clairvoyantes pour que notre désir de rencontrer enfin *le bon* ne nous empêche pas pour autant d'identifier, dès le premier rendez-vous, tout ce qui fait que *ça ne le fera pas*. Au risque, il faut l'admettre, de nous retrouver trop souvent prisonnières de notre jugement sans concessions. Parce que le type se révélait toujours soit trop stupide, soit trop compliqué. Soit trop vulgaire, soit trop coincé. Trop égoïste ou trop soumis. Trop immature ou déjà vieux dans sa tête. Pas assez gentleman ou trop obséquieux. Trop fils à maman ou trop de problèmes à régler avec son père. Pas assez ambitieux ou trop arriviste. Trop radin ou trop fauché. Trop débraillé ou trop strict. Pas assez câlin ou trop collant. Au lit, trop brutal ou trop doux, etc. Dans ces cas-là, les gens te disent : « Avec toi, il y a toujours un truc qui cloche. Tu ne trouveras personne, à faire tout le temps la difficile. » Certes. Mais comment se forcer à se satisfaire du tiède ou de l'à-peu-près sans que cela ne s'apparente à un renoncement ? Les gens te disent : « Tu crois que tu n'en as pas, toi, des défauts ? » Si, bien sûr, plein. Mais aucun de ceux-là.

Répondre *Jimmy* à chaque fois, c'était une façon pour Fadila et moi d'encaisser avec humour une réalité déprimante : les Jim, ça n'existe pas. Même après sa rencontre avec Cyril, elle était restée objective : « Ce n'est pas un Jimmy, mais pas un Jim non plus. » *Ce n'est pas un Jimmy.* C'était déjà considérable. Je l'avais enviée de ne plus avoir à *chercher*, de ne plus avoir ni à se moquer ni à se plaindre des hommes. De se retrouver enfin de plain-pied dans une histoire de couple, même imparfaite, avec un quotidien en commun, des choses simples de la vie à partager à deux, la quête prochaine sur internet d'un appartement où emménager à deux, un mariage pour plus tard, puis, en toute logique, un bébé. En tout cas, quelque chose d'autrement plus consistant que la formule *Jim ou Jimmy ?* s'était, du jour au lendemain, imposé dans la vie de Fadila. Ce qui ne l'empêchait pas de continuer à me poser la question à chacune de mes nouvelles rencontres, sur un ton rangé des voitures mais où subsistait encore de la place pour un frisson par procuration.

« Je viens de le googler vite fait sur internet, ton Hadrien. » *Ton Hadrien.* J'ai été un peu irritée par ce ton nonchalant qu'elle s'autorisait à propos d'un homme dont elle ne savait toujours rien, mais qu'elle mettait spontanément dans le même sac que les précédents. « Je préfère de loin le Néo-Zélandais, mais c'est vrai qu'il a l'air pas mal. Je l'imaginais plus jeune, par contre. Il a quel âge ? » En bonnet, doudoune et mitaines, elle était en train d'ôter de son emballage un sandwich industriel au pain de mie. Derrière elle, c'était un hiver banal dans un square parisien, avec son ciel gris fer, ses marronniers déplumés, ses bancs sales et, en fond sonore, la sirène caractéristique d'une voiture de police se frayant un passage sur le boulevard. C'était la première fois que je considérais ce cadre si familier dans sa dimension la plus rabougrie. En vacances, tu ne te rends pas compte. Tu te *coupes* de Paris pour une ou deux semaines, et puis tu rentres. Tu râles, tu déplores que tes vacances n'aient pas duré davantage, tu râles contre le retour annoncé au métro, au ciel gris et aux gens qui râlent. Mais, au fond, tu es plutôt contente de les retrouver, tes repères. Ils te permettront d'attendre confortablement l'imprévu, comme d'habitude. Cette fois, ayant initialement quitté Paris pour une durée indéterminée et pour une destination aussi lointaine que Wellington, l'image de Fadila sur son banc de square en train de déballer un sandwich me semblait brusquement ne rien promettre que du mille fois déjà vécu.

« Quarante-deux ans. » Fadila, qui s'apprêtait à mordre dans ses tranches de pain de mie, s'est interrompue net pour braquer des yeux stupéfaits dans la caméra de son smartphone. Pour l'une comme pour l'autre, sortir avec un type de plus de trente-cinq ans n'avait tout simplement jamais été envisagé. Les quadragénaires, c'était une catégorie qui ne nous concernait pas, un espace-temps flou, avec ses codes et son entre-soi. Quarante-deux ans, c'était l'âge de parents d'enfants déjà grands, l'âge des papas et des tontons, des chefs de service, des patrons de boîtes de nuit, des ministres, des profs de fac et des proviseurs de lycée. C'était d'autres revenus, d'autres mœurs, d'autres marques de vêtements, d'autres coupes de cheveux, un autre langage et une autre musique. C'était les tempes grises et de l'embonpoint. C'était lointain comme les années 1980. Quelque chose d'un peu asexué, frisant la péremption, plus proche de la retraite que de la vie devant soi.

« Alors, Jim ou Jimmy ? » Je n'avais pas envie de répondre à Fadila parce que mon rendez-vous avec Hadrien Brach-Rousseau ne ressemblait à aucun de ceux que j'avais eus jusqu'à présent. Je ne pouvais même pas lui répondre la même chose qu'elle m'avait répondue à propos de Cyril : *Pas Jimmy, mais pas Jim non plus.* Parce qu'Hadrien Brach-Rousseau ne pouvait en aucun cas être comparé avec Cyril. Parce qu'ils ne luttaient pas dans la même cour l'un et l'autre et que, cela non plus, je ne pouvais me permettre de le dire à Fadila. Je n'avais soudain plus envie de jouer à *Jim ou Jimmy* avec elle, cela n'avait plus de sens. Je n'avais pas envie de trahir par des mots approximatifs ce que je venais de vivre. Pas non plus envie de compromettre quelque chose d'aussi fragile qu'un rendez-vous le lendemain avec un individu exceptionnel mais qu'on connaît à peine devant l'entrée d'un musée, tout au bout du monde, la veille d'un retour en avion à Paris.

« Je n'en sais rien », j'ai dit. Pas envie de répondre au questionnaire habituel : Il est grand ? Il a des yeux de quelle couleur ? Et ses mains, elles sont comment ? Ses dents ? Il prend soin de lui ? Sa voix ? Il a l'air musclé sous ses vêtements ? Il était habillé comment ? Il a des fesses sous son pantalon ? Tout ce que je peux te dire, j'avais envie de dire à Fadila, tout ce que je peux te dire, c'est que c'est un *homme*. Et qu'il faudrait que tu le voies, que tu l'entendes, que tu le voies me regarder et l'entendes me parler pour comprendre. Un homme dans le sens le plus simple, le plus primaire, le plus pur et le plus complet du mot *homme*. Quelqu'un qui, pour une fois, ne te fasse pas entrevoir immédiatement l'envers du décor. Quelqu'un qui te donne envie de lui montrer qui tu es *vraiment*, pour de bon, sans craindre que tout cela ne tombe dans l'oreille d'un sourd et dans l'œil d'un borgne. Qui te fasse prendre soudain conscience de tout ce que tu as à donner mais que personne jusqu'ici n'aura su venir chercher, comme du pétrole qui serait resté depuis toujours dans les profondeurs de la terre, ou de l'or au fond d'une rivière. Quelqu'un qui te fasse enfin sentir que tu es de la confiture pour une autre confiture et qu'il est une pantoufle de vair à ton pied. Qui sache te mettre au centre de sa vie sans rien perdre de sa personnalité. Parce que c'est cela qu'un homme sait faire : mettre une femme *au centre de sa vie.* Il sait te mériter par sa seule présence à tes côtés et par toutes ces sensations insensées qu'il provoque en toi lorsqu'il te parle et qu'il te regarde. Il réveille en toi l'envie de grandir pour l'atteindre. Il sait te faire comprendre que, cette toi-même sur le point de grandir pour l'atteindre, ça s'appelle une *femme*. Une femme dans le sens le plus simple, le plus primaire, le plus pur et le plus complet du mot *femme*. *Une femme à hauteur d'homme* : voilà ce que ce quelqu'un te donne envie de devenir lorsqu'il te regarde et qu'il te parle. Un homme, quoi.

Le plein jour lui seyait très bien aussi. Avec ses vaguelettes disciplinées de cheveux, son teint hâlé, sa chemise bleu ciel rentrée dans son pantalon clair à pinces et ses mocassins en daim, il incarnait l'idéal masculin tel que le concevaient des marques du type, mettons, Ralph Lauren. Cela me faisait tout drôle, d'être venue retrouver un homme habillé en *monsieur*. Sur la longue promenade du port, immobile parmi les joggers et les flâneurs, il tapotait d'un air concentré sur son téléphone lorsque je me suis approchée. La plupart des types avec lesquels j'étais sortie se penchaient sur leur portable par pur réflexe ou pour un usage principalement ludique : check de mails, Facebook, WhatsApp, surf, gaming. Chez Hadrien Brach-Rousseau, le geste semblait uniquement motivé par des enjeux importants. On l'imaginait sans peine en train d'échanger avec les responsables d'une organisation humanitaire ou le rédacteur en chef d'un grand quotidien. Il l'a aussitôt remis dans sa poche lorsqu'il m'a aperçue, comme si un smartphone ne pouvait donner qu'un tour vulgaire à notre rendez-vous.

« Vous êtes magnifique », il a dit sur un ton qui frôlait la gravité, à l'opposé du compliment mondain. « J'allais vous proposer de nous presser un peu pour vous montrer quelque chose pas très loin d'ici avant le musée. Mais, avec vos jolies sandales à talons, j'ai peur que ce ne soit très inconfortable pour vous. » Non seulement il avait immédiatement remarqué mes sandales, que je trouvais moi aussi particulièrement jolies, mais que j'avais longtemps hésité à mettre de crainte qu'il ne s'imagine que je m'étais trop apprêtée pour une simple visite de musée. Mais, en plus, il se souciait de mon confort. Jamais un type n'avait fait montre d'autant d'attention à mon égard en si peu de temps. Ou bien était-ce une façon polie de me signifier que je ne paraissais pas à mon aise sur des talons ? Maladroite ? Jamais, non plus, je ne m'étais sentie aussi peu sûre de moi face à un homme. « Non non », j'ai dit en forçant un peu sur la décontraction, « il n'y a aucun problème, allons-y ».

À deux cents mètres de là, il y avait une sorte de bassin creusé dans le quai et relié à la mer par un passage de la largeur d'une ruelle. Autour de ce bassin, il y avait un club nautique et, juste en face, une pelouse sur laquelle un café de plein air avait disposé de gros poufs vert pomme pour les clients. Hadrien Brach-Rousseau s'est approché du bord du bassin et a promené pendant quelques instants son regard sur l'eau : « Ah, *chouette* », il a fini par s'exclamer en pointant son index devant lui, « j'avais peur qu'elles soient parties, mais elles sont toujours là. Venez voir ». À quelques centimètres à peine sous la surface de l'eau, des ombres en forme de losange allaient et venaient, comme des torpilles. « Ce sont des raies ? » j'ai demandé afin de lui confirmer que je n'étais pas tout à fait ignorante. « Oui. C'est incroyable, hein ? En plein port ! » J'ai repensé à Mathieu le crêpier et à ses sons de *bell bird*. On ne parle pas assez de la délicatesse des hommes, j'ai songé. Ou bien sont-ce eux qui n'en font pas assez la publicité ? Le monde animal dans son ensemble n'exerçait sur moi aucun attrait. Mais, pour Hadrien Brach-Rousseau, je me sentais un cœur à m'intéresser à n'importe quoi. Comme il avait rangé son téléphone portable, je n'ai pas osé sortir le mien. J'avais envie de prendre en vidéo l'une de ces ombres filantes pour l'accompagner de la légende suivante : *La fascination invente des vocations*. Cela m'aurait probablement valu un nouveau *J'aime* de la part de Sabine.

C'était une belle journée d'été, il faisait très beau et très doux. Le vert lagon de l'eau scintillait au soleil. Il y avait des rires qui provenaient par grappes des clients du café qui consommaient leurs boissons en t-shirt dans les poufs. Au club nautique, l'une après l'autre, de jeunes rameuses prenaient place à bord de barques pour un entraînement d'aviron. Il n'y avait rien de particulier qu'une grâce d'équilibre entre l'air, la lumière et ces sons qui résonnaient dans l'enceinte du bassin. Et, surtout, la présence d'Hadrien Brach-Rousseau pour donner une densité supplémentaire au moment : l'issue complètement ouverte de ce rendez-vous. J'ai pensé que je me souviendrais probablement toute ma vie de ces images, de mon état particulier *pendant* ces images. Et que, rien que pour ces quelques minutes aussi intenses que légères, mon séjour éclair en Nouvelle-Zélande en valait déjà la peine.

Rien ne semblait pouvoir rompre la magie de cette matinée. Même les œuvres de ce Musée national que je trouvais, contrairement à Hadrien Brach-Rousseau, pas si mal que ça, en devenaient prétextes à des commentaires gentiment moqueurs que l'on se permettait à tour de rôle avec d'autant plus de complicité et de liberté qu'à cette heure le musée était pratiquement vide. Au premier étage, il fallait se déchausser pour pénétrer dans la Te Hau ki Turanga, cette fameuse salle de réunion de chefs maoris traditionnels qui avait été si impeccablement rénovée qu'il était difficile de croire qu'elle avait été construite en 1840, ou qu'elle avait pu paraître un jour aussi flambant neuve qu'elle le paraissait aujourd'hui. « Je suis désolé mais je n'y crois pas une seconde », grimaçait Hadrien Brach-Rousseau en tapotant de l'index l'intersection de deux poutres en bois sculpté. « Je vous garantis qu'ils ont acheté ces cordelettes chez Leroy-Merlin. » J'ai éclaté de rire, d'une part, parce que son ton était drôle, surtout avec son emploi irrésistible du mot *cordelettes*. D'autre part, parce que je me réjouissais de le découvrir plus éclectique qu'il n'en avait l'air. Et qu'en dépit de son élocution si choisie, si classique, il était capable d'un humour normal, détendu, populaire.

Alors que j'étais en train de renfiler ma deuxième sandale en appui sur une seule jambe, mon talon a ripé et j'ai perdu l'équilibre. Je me serais rattrapée toute seule sans difficulté. Mais, ayant eu le réflexe de s'élancer pour me retenir et me stabiliser, Hadrien Brach-Rousseau en a profité pour rapprocher son visage du mien et pour m'embrasser. Je n'attendais que cela mais l'effet de surprise m'a quand même coupé le souffle. Pendant cinq bonnes secondes, mon corps dans ma robe n'a plus été qu'un bloc insonorisé, où même mon cœur s'était fait oublier. Entre mes lèvres et sur mon menton, je sentais le poil en cours de repousse sur le visage d'Hadrien Brach-Rousseau. Je sentais tout ce que l'on ressent lorsqu'un visage se joint au tien par la bouche : son envergure plus réduite qu'elle ne le paraissait avant le baiser, les contours de la mâchoire et des pommettes, les dents que l'autre garde tapies dans l'ombre mais que tu devines quand même. Sa peau sentait la crème hydratante. Dans sa bouche tiède, il y avait une saveur lointaine de chewing-gum à la menthe polaire.

Il a retiré son visage en me fixant droit dans les yeux, avec un sourire où transparaissait une vraie joie ainsi que de la reconnaissance. Où poser les yeux après un événement pareil ? Que fait-on d'un premier baiser ? Toujours une énigme, cet instant où l'on est passé *de l'autre côté*, où *ça y est*, où *nous y sommes*. Cette intimité sans transition, presque contre nature, qui s'opère lorsque des lèvres jusque-là étrangères se rejoignent pour la première fois. Un instant, je me suis demandé s'il n'aurait pas fallu nous en tenir à du désir, à une attente inexaucée. Un premier baiser, n'est-ce pas aussi enlever un peu de mystère à celui à qui on a fini par le consentir ?

« Pourquoi ? » ai-je dit en soutenant son regard, mais trop secouée pour lui rendre son sourire. « Pourquoi moi ? » Surpris par une méfiance qu'il n'avait sans doute pas soupçonnée chez moi, Hadrien Brach-Rousseau m'a pris la main avec délicatesse : « Faut-il nécessairement fournir une raison pour dire que l'on *ressent* quelqu'un ? » Son index s'était mis à caresser la partie antérieure de mon poignet, là où la peau est si fine. « Parce que vous me plaisez, parce que je vous trouve extrêmement belle et très intelligente. Parce que j'aime l'expression de vos yeux et votre voix. Parce que quelque chose de très vivant, de très perspicace et de très subtil chez vous me convainc que vous êtes bien davantage que belle mais que vous cachez bien votre jeu. Parce que j'ai le sentiment que vous saisissez tout, mais sans vous affirmer suffisamment. J'aime votre modestie qui n'en pense pas moins. Parce que j'ai l'impression que vous êtes quelqu'un de très bien. Une fille comme on en rencontre rarement. Une fille *extra*, une exception. Parce que j'ai eu envie de vous embrasser dès les toutes premières secondes où j'ai vu vos lèvres remuer. Parce que j'avais depuis hier soir la conviction, peut-être un peu présomptueuse, qu'une complicité était née entre nous et que je pouvais me permettre ce geste. »

J'aimais que, malgré notre baiser, il continue de me vouvoyer. « Que *vous* pouviez me le permettre », il a précisé. « Enfin, parce que, depuis que vous m'avez dit que vous deviez rentrer demain en France, le temps nous est compté et que je m'en serais très longtemps voulu de ne pas l'avoir fait. Voilà pourquoi *vous*. »

« Dites donc, c'est le nombre d'or, votre discours », je lui ai dit droit dans les yeux, tandis que le pli bizarre sur ma lèvre supérieure était revenu s'installer sans prévenir. « Vous le resservez à toutes vos jeunes proies confites d'admiration devant le bel Hadrien Brach-Rousseau ? » Je retrouvais la confiance, je redevenais la moi-même que j'avais perdue en route, celle à qui les mots obéissent et à qui on ne la raconte pas. *Une femme est une femme*, j'ai pensé. Ce ne sont pas ses douze ans de moins qu'un homme qui doivent l'intimider de la sorte. Fière d'avoir repris la main avec humour, fière de ne pas m'être laissé faire, c'est moi cette fois qui ai levé mes lèvres vers les siennes et approché ma tête de la sienne. C'est au second baiser que les nouveaux amants manifestent clairement leurs intentions. À mesure que nos bouches s'emportaient en devenant plus voraces, associant à leurs joutes nos langues et nos dents, les mains d'Hadrien Brach-Rousseau s'affermissaient, passant de mes omoplates à ma taille, puis à mes fesses et à mes seins. « Donc on fait quoi ? » j'ai demandé yeux fermés, profitant d'un glissement des baisers d'Hadrien Brach-Rousseau dans mon cou. « On fait l'amour et bye-bye, c'est ça ? » J'ai aussitôt regretté cette phrase stupide, une phrase de gamine ou de scénario de téléfilm. J'anticipais beaucoup trop, je gâchais. Pourquoi ressentir de la peur à ce stade si précoce d'un simple baiser ? Qu'étais-je en train de m'infliger ? Qu'étais-je en train de faire payer à ce type ? Qu'il me plaise à ce point ? Ferait-il les frais de ma crainte irrationnelle que tout cela ne s'arrête, quand tant d'autres insipides avaient tant obtenu de moi, précisément parce qu'avec eux j'avais le sentiment de n'avoir rien à perdre ?

L'expression de mes scrupules n'avait pas entamé le sourire ni la douceur d'Hadrien Brach-Rousseau. Interrompant ses baisers dans mon cou, il s'est redressé sans ôter ses deux mains de ma taille. Il y avait à la fois de la tendresse et de l'indulgence dans ses yeux : « Pas forcément *bye-bye*, non. Pas forcément *du tout*, même. Et puis, même l'amour, personne ne nous oblige à le faire. »

Fadila me skypait cette fois depuis le self du ministère. Pour plus de tranquillité, elle s'était placée non loin des chariots où les employés qui avaient terminé leur déjeuner venaient déposer leur plateau-repas. Elle avait sans doute perçu au ton de mon texto qu'il serait inadéquat de me poser des questions du style : *Alors, c'était comment ?* Que je ne rentrerais pas ce coup-ci dans le détail du corps d'Hadrien, de la taille de son sexe ni de ses performances : s'il tenait bon le rythme, s'il était créatif ou s'il pratiquait spontanément le cunnilingus. À vrai dire, je lui avais proposé ce Skype sans réfléchir, juste parce qu'il était d'usage que je l'appelle pour tout lui raconter et que je craignais qu'elle ne m'en veuille de la faire trop attendre. Il faut le vivre pour concevoir qu'une rencontre peut, du jour au lendemain, bouleverser l'ordre de priorités que tu croyais immuables. Pour comprendre enfin pourquoi, depuis la nuit des temps, ces mots et ces expressions ont eu et continuent d'avoir la carrière qu'on leur connaît : *Amour, Cœur, Soupir, Tomber amoureuse, Vivre d'amour et d'eau fraîche, Se sentir sur un nuage, Voir la vie en rose, Je l'ai dans la peau.*

Les grandes évidences sont un secret bien gardé, j'ai griffonné sur le bloc-notes posé sur la table de ma chambre du B&B en attendant de prendre la photo qui irait avec.

« Tu as de la chance qu'il t'ait proposé ça. » Fadila fronçait des sourcils pensifs que je ne lui connaissais pas. Je ne savais quoi répondre à son commentaire. En l'écoutant, je me faisais simplement la remarque qu'il semblait inévitable de ne pas d'abord penser à soi-même lorsque votre meilleure amie vous annonce, depuis l'autre bout de la planète, qu'il lui est arrivé quelque chose de bien. Et qu'être amoureuse, c'est comme être riche : ça ne fait pas toujours plaisir aux autres. *Tu as de la chance.* Plus tôt dans l'après-midi, dans sa chambre d'hôtel, alors que je me blottissais contre son torse en remontant le drap sur mes seins, Hadrien m'avait fait une proposition : « Et si tu ne rentrais pas ? Et si *nous* ne rentrions pas ? » J'ai trouvé très délicat qu'il ne m'ait pas laissé le temps d'évoquer les problèmes d'argent que cela entraînerait : « Je m'occupe des frais d'annulation de ton billet avec ma carte, avait-il anticipé. Je t'en achète un nouveau s'il le faut, et je t'emmène. On part tous les deux pendant une semaine visiter l'île du Sud en *road trip*. Je m'occupe de tout. »

J'ai aimé qu'il me le propose *après* s'être assuré que je n'avais rien de solide qui m'attendait à Paris. Qu'il me le propose précisément parce que rien ne m'attendait nulle part. Aimé qu'il ait aussi décalé son propre billet d'avion qui devait l'emmener en Turquie, où il passerait les deux semaines de repérages qu'il avait prévues pour le tournage de son prochain documentaire. Aimé aussi l'usage de ce mot un peu suranné mais qu'il avait utilisé si spontanément : *road trip*. Dissimulant mal mon euphorie, j'avais mollement protesté un : « Mais non, ne change rien, c'est important pour toi. » À quoi il avait répondu : « Il y a plus important que mes repérages depuis que nous sommes entrés dans cette chambre : toi. » Être amoureuse, c'est ne plus trouver mièvres les mots trop sucrés.

« Ce n'est pas un petit peu rapide, tout ça ? Fais attention, reste quand même prudente. » Sur mon écran, je visionnais en direct tous ces fonctionnaires qui, après avoir ingéré leur déjeuner et inséré leurs plateaux vides dans les compartiments métalliques du chariot, repartaient sans hâte vers des bureaux qui ressemblaient en tout point à celui où Fadila venait passer chaque jour sept heures depuis qu'elle avait réussi son concours d'entrée en externe au ministère, en 2010. Pour fêter la bonne nouvelle, nous avions, ce jour-là, organisé un dîner entre filles célibataires dans un restaurant de Saint-Germain avec Sabine, Rania et une copine du cours de claquettes de Fadila. Fadila s'était lissé les cheveux, elle avait acheté un top Sandro en soie puis s'était fait maquiller dans un studio Bobbi Brown. « Juste pour le plaisir de me faire plaisir, maintenant que j'ai un salaire qui va tomber tous les mois », avait-elle déclaré pendant que le garçon nous servait du champagne. Elle était radieuse ce soir-là, elle respirait la réussite et la fierté. Nous étions allées ensuite dans une boîte antillaise de la rue de la Croix-Nivert, *L'Alizé*.

À deux heures du matin, *zéro pécho*, nous en ressortions bredouilles de garçons toutes les cinq. Les filles s'étaient scindées en deux groupes pour partager deux taxis qui les mèneraient toutes en banlieue, et moi j'étais rentrée seule à pied chez maman, rue des Favorites, à dix minutes de *L'Alizé*. Pendant le trajet, j'avais médité cette phrase de Fadila : « On ne va pas attendre d'avoir un mec pour s'amuser. La vie, c'est maintenant, les filles. » Sur le moment, elle sonnait juste, sa phrase, à Fadila. Reçue à ce concours d'agents de catégorie B de la fonction publique qui lui assurerait près de deux mille euros par mois en début de carrière et plus de trois mille à la fin, elle nous avait paru y avoir tout compris, à la vie, depuis la fac où l'on s'était connues et qui ne nous promettait rien qui vaille pour notre avenir. Je m'étais même surprise à l'envier lorsque, une fois en poste, elle m'avait fait visiter l'étage où elle travaillait, au ministère. Avec son chemisier blanc rentré dans son pantalon noir, son chignon et ses escarpins neufs. Avec ces longs couloirs capitonnés et climatisés où les noms des agents étaient étiquetés à chaque bureau, sur de larges et lourdes portes de bois clair. Avec ses huit semaines de congé par an, les bons plans du comité d'entreprise, etc. Les filles comme moi, revenues de tout mais qui n'ont rien accompli, sont des puits sans fond de doute. La fonction publique, ça ne m'avait jamais fait rêver. Mais, ce jour-là, j'avais eu l'impression que rien ne vaudrait un job comme celui de Fadila, pas même un homme. Seule, tu es prête à n'importe quoi pour faire diversion.

Prête à tout pour te convaincre qu'il n'y a pas que l'amour dans la vie.

Ce n'est pas un petit peu rapide, tout ça ? Tout ça. À force de me répéter de ne pas en attendre un pour « vivre », Fadila semblait ne plus envisager du tout qu'un mec pourrait bien finir par se pointer un jour pour moi aussi. Hadrien venait de tomber comme une météorite dans ma vie, et cela prenait toute la place : celle de la prudence, de la raison, des justifications, et même des confidences impatientes à ma meilleure amie. Pas davantage que de l'amour que nous avions fait, je n'avais envie de parler à Fadila de *tout ça*, de tout ce que nous avions échangé ensuite, lui et moi. « C'est drôle, tu ne m'as toujours pas demandé *d'où je viens* », j'avais dit à Hadrien alors que, en appui sur son coude, il me fixait tout en suivant de son index la courbe de mon mollet. Mon ton se voulait gentiment provocateur puisque, en vérité, cela m'aurait un peu déçue qu'il me le demande. Mais, au fond, ma question trahissait chez moi toujours les mêmes craintes et la même difficulté à accepter ce qui m'arrivait : *Pourquoi moi ? Qu'est-ce qu'un homme tel que toi peut-il bien trouver à une fille comme moi ?*

« Je veux savoir, bien sûr. Mais j'attendais que tu me le dises toi-même. » Sans exception, tous les types blancs avec lesquels j'étais sortie avaient, tôt ou tard, fini par me poser la question en premier. Tous. « Alors pourquoi tu ne me l'as pas demandé ? » Sa pondération me déboussolait. Jamais je ne m'étais révélée aussi intranquille avec un homme. Est-ce parce que je redoutais déjà qu'il ne m'échappe que je prenais les devants en tentant de lui en fournir moi-même les raisons ? Il s'était mis à présent à me caresser le bras de toute la paume de sa main. « Je ne te l'ai pas demandé pour que tu ne penses pas que je m'attachais d'abord à tes origines. » Sa franchise avait quelque chose d'à la fois rassurant et effrayant. « Oui, mais ça revient au même, non ? Tu n'as rien dit mais tu l'as *pensé*. » Pourquoi, dans ces conversations-là, nous retrouvons-nous si souvent avec le mauvais rôle, celui de la *angry black woman*, la harpie ?

L'âpreté de mes réponses ne démontait pas Hadrien, bien au contraire. Sa main était désormais passée sur le versant intérieur de ma cuisse. Par intermittence, le bout de ses doigts s'aventurait dans le pli de l'aine, à la lisière des grandes lèvres. « Oui mais, s'abstenir de mentionner, n'est-ce pas déjà quelque chose ? » a-t-il ajouté en effleurant avec une régularité accrue, et de bas en haut, le croissant de mon sexe. Une conversation aussi sensible peut très bien te couper net toute tentation d'alanguissement. Mais là, c'était plus fort que moi, mon corps dégorgeait tout ce qu'il pouvait, j'étais trempée. Tout en enfonçant en moi son doigt sans la moindre difficulté, c'est Hadrien qui a eu le dernier mot : « Car le silence a également ses vertus rédemptrices, non ? »

Le Cameroun, il connaissait. Il s'y était rendu une première fois pour un reportage sur la corruption dans le milieu des sociétés internationales de transport maritime, sur le port de Douala. Une deuxième fois à Yaoundé, en 2013, il avait enquêté sur les enlèvements de jeunes filles de Mimboman. Je n'avais jamais entendu parler de l'affaire des jeunes filles de Mimboman. Entre décembre 2012 et fin janvier 2013, m'a-t-il raconté, quatorze adolescentes avaient été retrouvées mortes dans les buissons du quartier de Mimboman. Toutes avaient les yeux et la langue arrachés, et les seins et l'utérus découpés. Une histoire de crimes rituels et de sorcellerie. Outre que ces détails macabres s'accordaient mal à notre si douce intimité dans ce lit, ce qu'il venait de me dire me décourageait un peu. Pour tout commentaire, je lui ai dit qu'il était dommage que ce soit toujours sous les angles les plus sordides et les plus misérabilistes qu'on fasse référence au Cameroun, et à l'Afrique en général. Ne s'attendant pas à une telle réaction de ma part, il a rougi. J'avais dit juste. Sans doute aurait-il pu conserver son aplomb et être tenté de trouver des *arguments*. Sans doute aurait-il pu se mettre à me parler de la nécessité fondamentale d'informer le monde, du manque de réactivité de l'État camerounais, qui incitait ainsi les étrangers à venir se mêler de ce qui ne devrait pas les regarder, et d'autres démonstrations de ce type à mon sens assez discutables.

Je le sentais surtout consterné. Non pas que je

l'aie moi-même assimilé aux reporters occiden-
taux habituels, avides de sensationnalisme sur
le dos de l'Afrique. Non, plutôt consterné de
m'avoir déçue et déplu, et de se sentir incapable
de se racheter. Je le sentais ressentir cela, c'était
palpable. Je le sentais parce que, à mon tour, je
m'en voulais de l'avoir mis dans cet état. M'en
tiendrait-il rigueur d'une façon ou d'une autre ?
Comment un si infime accroc dans la conversation pouvait-il entraîner de si extravagantes
conséquences, qui plus est informulées, silen-
cieuses, *mentales* ? Nous me faisions l'effet de
deux capteurs haute définition en permanence
branchés l'un sur l'autre, et de plus en plus sen-
sibles à mesure que s'affirmait la qualité de notre
échange et que se confirmait l'évidence de cette
rencontre. Je n'avais jamais éprouvé cela avec
personne. J'avais le sentiment qu'en moi s'ouvrait la porte de *L'Amant* de Marguerite Duras,
que des digues cédaient pour laisser sortir de
mon corps un fleuve entier dont j'avais jusqu'ici
ignoré jusqu'à la présence secrète, souterraine.
Que l'espace tout autour de moi se démulti-
pliait, révélant une perspective d'infini. C'était
enivrant. C'était terrifiant.

« Et à part ça, tu en as retenu quoi, du Cameroun ? » je lui ai demandé sur un ton beaucoup
plus secourable, quasi coupable, en me mettant
à lui caresser la tempe d'une main hésitante. « La
cuisine, essentiellement. » Puis il s'est tu, sans
développer davantage. Ce laconisme soudain
me brisait le cœur. L'envie de lui demander s'il

était fâché me démangeait. Mais n'était-ce pas courir le risque qu'il se renferme davantage ? L'envie, aussi, me dévorait de lui avouer que cette histoire d'enquêtes n'était pas si grave, au fond, qu'elle n'avait pas altéré un seul instant l'admiration que j'avais pour lui. Dois-je l'admettre ? Qu'il se reproche de m'avoir heurtée avec la corruption sur le port de Douala et les jeunes filles de Mimboman me procurait même un petit plaisir, aussi cruel qu'égoïste. Je découvrais qu'être amoureuse, craindre que l'autre ne le soit pas de toi autant que toi de lui, cela pouvait te rendre injuste : si elle peut t'attacher l'autre encore davantage, toute manifestation de sa vulnérabilité sera bonne à exploiter. L'envie, enfin, de lui dire de ne surtout pas s'inquiéter. Parce qu'il n'y avait qu'une seule chose à retenir de tous ces non-dits montés en épingle : j'étais folle de lui.

« Le *ndolè*, bien sûr. Euh, l'*okok*. Et puis, le, euh, le truc avec du maïs, là. C'est le *sanga*, c'est ça ? Le *macabo* ? » En fait, il ne faisait pas du tout la gueule. Il venait juste de prendre le temps de se remémorer des noms de spécialités culinaires du pays de mes parents. Je l'avais imaginé tout aussi tourmenté que moi par ces petits jeux puérils à nous faire peur, et le voilà même qui riait, à me restituer cahin-caha les noms *okok* et *macabo*. Le pire, c'est que je l'en adorais encore plus. J'adorais qu'il ait attaché de l'importance à tous ces plats que j'aimais aussi, au point de se souvenir de leurs noms sans les écorcher. Quelle

Camerounaise, quelle fille de France d'origine camerounaise, n'ira pas se réjouir que son amant français blanc lui parle spontanément *okok* et *macabo* ? C'est irrésistible. Et pourtant, je lui en voulais. Je lui en voulais de ne pas avoir partagé avec moi ces secondes de doute insensé. Et, simultanément, je me détestais de lui reprocher sa joie saine et innocente. *Tu me fais tourner la tête*, j'ai pensé. *Amour fou*, j'ai pensé. *Maladie d'amour*, j'ai pensé.

Être deux, cela *enchantait* les actions les plus ordinaires du quotidien : boucler *ensemble* nos valises, nous engouffrer *ensemble* dans un Uber afin de nous rendre au terminal des ferries en partance pour l'île du Sud, acheter *ensemble* au guichet nos deux billets de la traversée. Puis lire *ensemble*, enlacés, les gros titres du journal local dans la salle d'attente, sans autre impatience que celle de se retrouver de nouveau dans une chambre l'un et l'autre. Je me sentais si vivante, si sensible au moindre détail, qu'il n'y avait plus de *voyage* à proprement parler. C'est chaque instant qui devenait une destination en soi. J'ai profité de l'absence d'Hadrien, qui était parti aux toilettes, pour prendre un snap de nos deux valises posées l'une contre l'autre sur le sol de cette salle d'attente, avec, derrière la grande baie vitrée, la masse bleu et blanc du ferry prêt à partir pour Picton. J'avais trouvé le titre de cette photo que je ne posterais pas, que je garderais pour moi toute seule, comme on tait un vœu de peur qu'il ne se réalise : *Mon port d'attache*. À son retour des toilettes, j'ai failli lui dire qu'il m'avait manqué. Je m'en suis abstenue, pour qu'il ne pense pas que j'exagérais peut-être un peu. On ne peut pas se permettre d'avouer à l'autre jusqu'à quel point on l'aime lorsqu'on est amoureuse.

Trente minutes plus tard, accoudés au bastingage, nous regardions s'éloigner Wellington derrière le profond sillage d'écume du bateau. J'aimais les petits coups de tête que, régulièrement, Hadrien donnait contre le vent qui ramenait des mèches de cheveux dans ses yeux. J'aimais que, quarante-huit heures seulement après nous être rencontrés, il me tienne aussi fermement dans ses bras, comme si notre union se comptait en années. « C'est la première fois que je vis quelque chose comme ça », il a dit en ôtant un bras de ma taille pour remonter ses lunettes de soleil sur le sommet de son crâne. J'ai retenu mon souffle et haussé les épaules sous l'effet du frisson que ses mots venaient de provoquer en moi. Je voulais lui répondre : « Quelque chose comment ? », trop désireuse de l'entendre enfin dire à son tour ce que je pensais être seule à ressentir et que je n'osais lui dire, de crainte qu'il ne juge cela excessif, ou trop prématuré. « On connaît à peine davantage que les prénoms l'un de l'autre. Et pourtant, ce changement de programme, ce voyage, ce bateau, ces échanges fluides, ces rires : tout paraît tellement naturel.

Je n'avais jamais vécu ça, et aussi vite. Ce n'est pas qu'on enfreigne des règles. C'est qu'on les rende inutiles et obsolètes. »

Je ne savais pas ce qui m'émouvait le plus : qu'il ressente au mot près la même chose que moi ou que, malgré nos douze ans de différence, malgré toutes les vies sentimentales que je lui prêtais, il me dise que je lui apportais, à mon tour, quelque chose *pour la première fois*. C'était le moment de rassembler mes forces et d'affronter un sujet dans lequel je m'abîmais en hypothèses depuis deux jours, sans avoir à aucun moment osé l'aborder avec lui : les femmes. Qui avait-il aimé, comment avait-il aimé et comment l'avait-on aimé, lui ? Et puis cette question que je ne lui poserais pas, bien sûr, mais à laquelle j'espérais qu'il me donne de lui-même une réponse : parmi l'inventaire de toutes ses histoires, à quel rang situait-il la nôtre ? Quelle serait, dans sa vie si riche, ma place à moi ? Pour combien de temps ? Celui d'une parenthèse d'une semaine dans l'île du Sud avant nos retours respectifs à Paris, chacun dans son coin, à une vie normale, plus réaliste ? Ou bien davantage ? Ou bien *l'avenir*, tout simplement ? L'avenir sans bornes que, en toute logique, une rencontre telle que celle-ci pouvait permettre à une fille de trente ans d'espérer ? L'avenir, ni plus ni moins ?

« J'ai été marié. » La phrase m'a frappée, mais sans faire si mal que cela. Une pichenette, une petite gifle dans un gant de boxe. Comment pouvais-je raisonnablement m'imaginer qu'un type tel qu'Hadrien n'avait pas été marié au moins une fois dans sa vie ? Qu'il ait été marié et divorcé le confirmait même dans cette dimension d'homme d'expérience qui, chez lui, me séduisait tant. *Mais je ne serai jamais sa première épouse*, n'ai-je pu m'empêcher de penser immédiatement, non sans imaginer ma honte s'il avait pu lire dans ma tête à cet instant.

Il avait une petite fille de huit ans, aussi, Dalva. Là, je ne savais quoi penser. Tomber amoureuse à trente ans d'un homme marié-divorcé et déjà papa d'un enfant, cela pouvait se comparer, mettons, à ce que ressent quelqu'un de très attaché aux traditions et à la morale sur le point d'épouser une fille dont on lui apprend au dernier moment qu'elle n'est plus vierge. Cela n'enlève rien aux qualités de l'être aimé, évidemment. Juste cette sensation que c'est un bonheur de seconde main qui t'est réservé. D'où venait-il, ce nom, Dalva ? « Sa maman est cap-verdienne. » *Je ne serai pas non plus la première Noire dans la vie d'Hadrien.* Au moins cela me dispenserait-il d'avoir à reprendre avec lui pas mal de choses à zéro, en particulier sur les questions capillaires : *Ce sont tes vrais cheveux ? Pourquoi tu mets autant d'huile dedans, ça risque pas de tacher le dossier du canapé de mon salon quand tu iras t'asseoir ? Attends, tu as passé cinq heures au salon de coiffure juste pour te faire tresser ?*

Dalva, donc. Lorsque j'étais en contrat à la Mairie de Paris, j'étais sortie pendant quelques semaines avec un type qui travaillait au *Plan*

Climat Énergie, Nicolas. Il avait une petite fille, lui aussi. Et il n'était pas question qu'il me la présente parce que, prétendait-il, il ne voulait pas la *traumatiser* en lui montrant que son papa avait remplacé sa maman par une autre femme. Cela me paraissait exagéré, n'étant pas, loin de là, la première femme que Nicolas fréquentait depuis qu'il était séparé de la mère de sa fille. Mais je pouvais comprendre. Ce que je comprenais beaucoup moins, en revanche, c'est qu'il laissait la petite à sa propre mère chaque fois qu'il en avait la garde, un week-end sur deux, pour aller disputer des championnats de VTT aux quatre coins de la France. Ce qui ne l'empêchait pas de se plaindre, lorsque nous nous retrouvions, qu'il se sentait coupable d'avoir quitté sa femme, coupable de ne pas passer davantage de temps avec sa fille. Et que toute cette culpabilité lui gâchait tout, y compris nos instants ensemble. Nicolas était un beau gars, grand et athlétique, très soucieux de ce qu'on pouvait penser de lui. Mais il ne pouvait s'imaginer combien il perdait toute capacité d'attraction chaque fois qu'il se montrait, de la sorte, incapable de prendre ou d'assumer la moindre décision. Pour l'alléger d'un poids supplémentaire dans ses contradictions, j'ai fini, comme on dit poliment dans ces cas-là, par *mettre un terme à la relation*.

« Tiens, regarde. » Tout en me serrant un peu plus fort contre lui de son bras disponible comme s'il voulait par anticipation amortir un choc, Hadrien me tendait son iPhone de l'autre pour me montrer l'élégante photo d'une petite fille métisse assise sur le sofa d'un appartement parisien haussmannien typique, avec murs blancs et moulures. Elle était soigneusement tressée au fil et vêtue avec simplicité, mais goût. « Elle est très jolie », j'ai dit avec une admiration sincère, me demandant s'il n'était pas un peu précipité de la part d'Hadrien de me dégainer ainsi une photo de sa fille ou bien si, au contraire, il fallait plutôt considérer cela comme le parti pris rassurant de transparence d'un type qui jouait cartes sur table. J'essayais de deviner dans le visage de Dalva les traits qui pouvaient être ceux de sa mère. « Et la maman, que fait-elle dans la vie ? » j'ai fini par demander avec un détachement feint, regrettant aussitôt ce médiocre *la maman*, trop distant et trop grinçant.

« Elle est directrice financière dans un cabinet de gestion immobilière. » J'avais craint qu'il ne me donne un nom de métier subalterne, ou qu'il n'use de pudiques périphrases pour ne pas dire qu'il s'agissait d'un métier subalterne : *Elle travaille dans l'administration, Elle travaille dans le milieu médical, Elle travaille en milieu hospitalier, Elle travaille dans le milieu de la restauration, Elle travaille dans le prêt-à-porter, Elle travaille dans l'hôtellerie, Elle travaille dans le milieu des Services à la personne, Elle travaille en milieu scolaire,* etc. J'étais heureuse qu'une sœur vienne contredire les réponses auxquelles l'écrasante majorité des femmes noires sont d'ordinaire condamnées en France. Je me sentais en conséquence un peu légère, avec mon piètre Master 2 de lettres modernes qui, en près de sept ans, ne m'avait servi à rien d'autre qu'à cumuler des intérims et des CDD *en milieu* rédactionnel, mais sans le moindre rapport avec la littérature ou l'art en général. Un homme attiré par des femmes émancipées et à responsabilités, j'ai pensé, cela signifie qu'il n'a pas peur. Qu'il a confiance en lui, qu'il est ouvert, qu'il a un esprit d'équité et le respect de l'autre. Dire *Elle est directrice financière dans un cabinet de gestion immobilière* plutôt que *Elle est dans la finance* ou autre *Elle bosse dans l'immobilier*, ce souci de précision pour évoquer son titre exact, cela prouve toute l'attention et toute la considération dont il continue de faire preuve vis-à-vis de son ex-femme. C'était très bon signe et cela faisait nécessairement d'Hadrien quelqu'un de précieux. Mais que pouvait-il bien me trouver à moi, en comparaison ? Et que pouvais-je bien lui apporter de nouveau, à lui qui avait été marié à une femme de la trempe de cette Cap-Verdienne, laquelle faisait un métier sérieux et certainement beaucoup plus rémunérateur que le mien ? Qui lui avait donné une si belle petite fille, dont il ne faisait aucun doute qu'Hadrien s'en occupait, lui au moins ? Une petite fille fière d'avoir un papa aussi attentionné et aussi épris d'elle. J'avais envie de demander cent choses à Hadrien : d'abord, de me montrer une photo de la Cap-Verdienne. Ensuite, de m'expliquer pourquoi, ayant de toute évidence tout pour être heureux ensemble, ils s'étaient séparés, elle et lui. Si Dalva vivait avec lui ou avec sa maman. S'il pensait un jour avoir d'autres enfants avec une autre femme.

Le ferry longeait les premières îles des Marlborough Sounds. *Un vaste réseau de vallées submergées*, résumait joliment Wikipédia. C'était un paysage très apaisant d'espèces de fjords spacieux et inoffensifs. Partout, des collines vierges vert tendre tombaient en pente raide, sans rivage ou presque, dans une mer si immobile et si bleue qu'elle paraissait l'eau d'un lac. Il y avait tant d'îles que la mer semblait se démultiplier en passages qui s'échappaient derrière les crêtes vers autant d'immenses horizons. C'était d'une beauté si frappante qu'on ne pouvait qu'en dire *C'est très beau*, sans ressentir le moindre besoin de chercher à comparer le spectacle avec d'autres paysages ailleurs dans le monde, tout simplement parce que c'était incomparable. Hadrien n'avait pas lâché un seul instant ma main depuis que nous avions quitté le port de Wellington. Il ne ratait jamais mon regard lorsque je levais les yeux vers lui à l'improviste, et je sentais ses yeux posés sur mon profil lorsque je regardais au loin.

Tout en lui disait son indéfectible et vivante *présence. Alors pourquoi aller te chercher toute seule autant de mauvaises raisons de te ternir des souvenirs qui figureront sans aucun doute parmi les plus beaux et les plus forts de ton existence ?* me demandais-je en suivant des yeux la trajectoire du ferry adverse Picton-Wellington, dont les passagers, à cent mètres à peine, nous saluaient tous joyeusement de la main depuis le pont supérieur. J'avais appelé de tous mes vœux de pouvoir rencontrer un homme que j'admirerais, avec lequel je pourrais parler de tout et partager d'égal à égal les richesses simples que pouvait offrir la vie. Maintenant que la réalité dépassait mes espérances jusqu'au *conte de fées*, n'ayons pas peur des mots, maintenant qu'il y avait un homme qui me renvoyait à tout point de vue un écho en me serrant dans ses bras au milieu d'un paysage inouï, à 20 000 kilomètres de mes petites habitudes, l'inquiétude me submergeait de toutes parts.

Était-il plus reposant de garder un cœur neutre tout au long de sa vie ? De ne jamais avoir à subir l'épreuve d'aimer ? S'éviter de souffrir, est-ce préférable à des regrets ? Je l'entendais, pourtant, la voix de la raison : les *Profite, Géralde, il est encore bien trop tôt dans cette histoire pour penser à demain.* Les *Calme-toi et profite, Géralde, quelle que soit son issue, cette histoire tu dois la vivre parce qu'elle n'est pas de celles qui peuvent se regretter.* Les *Accorde-toi au moins quelques jours d'insouciance, Géralde, la vie, c'est maintenant, carpe diem.* Tout cela, je le comprenais parfaitement. Était-il dans l'ordre des choses qu'il y ait nécessairement une contrepartie au bonheur ? *Demandez et vous recevrez, afin que votre joie soit accomplie,* dit saint Jean dans son évangile. C'était l'un des quelques versets de la Bible que j'avais retenus par cœur depuis mes années à l'école normale catholique de la rue Blomet. À dix ans à peine, je me demandais déjà ce que Jean entendait par là.

J'aimais la façon dont Hadrien abordait les gens. Chez lui, le mélange d'assurance, d'extrême politesse et de bonne humeur suscitait naturellement la sympathie de ses interlocuteurs. À l'agence de location de voitures de Picton, je regardais depuis mon siège sourire la fille du comptoir qui était en train de lui remettre les clés. Si je ne l'avais pas, depuis quarante-huit heures, déjà vu en situation à l'Alliance française face à son public, puis face aux appariteurs du Musée national Te Papa, puis face à l'employé du room service de son hôtel et face au préposé à la vente des tickets aux guichets du terminal du ferry, j'aurais pu penser qu'il avait le très mauvais goût de la draguer sous mes yeux. Son sens du contact frisait la séduction permanente. Dans son cas, cela semblait s'apparenter davantage à un combustible indispensable à sa sociabilité qu'à un besoin de vérifier son attrait en toute occasion. Sans doute une façon d'organiser la paix autour de soi afin de rendre provisoirement le monde meilleur.

« Elle avait l'air sympa, dis donc, l'agente », je n'ai pu m'empêcher cependant de lui dire lorsque, une fois les papiers signés, il s'est avancé vers moi en agitant les clés avec jubilation. Je déplorais de m'attribuer toute seule ce rôle ingrat de rabat-joie jalouse, n'ayant, au fond, aucune légitimité à pousser Hadrien à me rendre des comptes. Nous nous connaissions à peine, après tout, et nul ne m'avait obligée à accepter sa proposition de voyage. Mais il fallait quand même que je le lui dise. Parler, éviter les non-dits, dissiper le malentendu à sa racine, cela me paraissait désormais indispensable pour ne pas me gâcher, et gâcher tout court, ce voyage. Notant bien que je ne plaisantais qu'à moitié, Hadrien a cessé de sourire et s'est assis à côté de moi. « Je me fiche souverainement de cette agente qui, au demeurant, c'est vrai, est plutôt sympathique », a-t-il commencé par dire avec humour en me fixant droit dans les yeux.

Difficile de ne pas faire confiance à quelqu'un qui choisit d'employer le mot *souverainement* à la place du plus convenu *royalement*. Il a posé calmement clés et dossier de location sur le siège voisin pour me prendre de nouveau la main : « C'est un ensemble, un souffle général. D'abord, je suis heureux. Toi, notre rencontre, tout ce que nous vivons depuis avant-hier me rend heureux. Il faut que je l'exprime, et cette jeune femme vient d'en faire les frais, c'est aussi simple que ça. » Combien de fois, au cours de ma vie, quelqu'un m'avait-il confié que je le rendais *heureux* ? Jamais. J'aimais ma mère et mes amies, et j'étais aimée d'elles en retour. Mais une mère et des amies, ça ne dit pas des choses pareilles.

« Et puis, a poursuivi Hadrien, ça va peut-être te paraître un peu tordu, mais c'est pour te plaire. » À cet instant, il a baissé les paupières avec une pudeur irrésistible. Je me sentais encore trop intimidée pour me laisser aller spontanément à le toucher sans qu'il ait lui-même ouvert la voie par un regard ou une caresse. « C'est un petit luxe que je me permets : faire semblant de ne pas voir que tu me regardes et surjouer ma joie face à cette dame. C'est une coquetterie. Juste pour que tu te dises : *Il aime la vie et les gens, ce type, il est chouette, je ne me suis pas trompée.* Je frime, quoi. »

Ses yeux amusés et son sourire étaient de retour. « Ce n'est pas parce que j'ai l'âge d'être le plus jeune de tes oncles que je ne peux pas faire le malin pour te plaire, moi aussi. Non ? » J'avais vu juste sur cette façon qu'Hadrien avait de *rendre le monde meilleur.* Qu'il me le confirme avec ses propres mots ajoutait au merveilleux de cette véritable télépathie qui nous unissait. C'est formuler et savoir formuler les choses qui sont la clé du désir, ai-je pensé en ressentant une puissante envie de me retrouver nue tout contre Hadrien dans un lit. Et ne pas craindre de formuler sa vulnérabilité, aussi.

Nous avons mis nos valises dans le coffre et il s'est tout naturellement assis à droite pour prendre le volant, comme s'il avait fait ça toute sa vie. Je l'imaginais s'installer avec la même aisance aux commandes d'un hélicoptère, d'une Formule 1 ou d'un char d'assaut. « Qu'est-ce que tu veux qu'on mette, comme musique ? » Il désignait son téléphone portable : « Je n'ai pas enregistré grand-chose dedans, mais bon, on ne sait jamais. » *Je n'ai pas enregistré grand-chose dedans*. Émue, je lui ai souri tout en sachant qu'il en ignorerait la raison. Est-ce parce qu'il passait les deux tiers de son temps dans des pays où les connexions internet laissaient à désirer qu'Hadrien n'avait pas intégré le mot *télécharger* à son vocabulaire ? Ou bien était-ce tout simplement une question de génération ? En tout cas, pas de Spotify ni de Deezer sur son smartphone, mais une *bibliothèque musicale* à partir de laquelle il faisait sagement défiler les noms d'artistes par ordre alphabétique. « Non, choisis, toi », j'ai dit, n'osant pas lui demander de me confier son téléphone puisqu'il ne m'avait pas proposé d'y jeter un œil. Et à peu près certaine, de toute façon, de ne pas y trouver ce que j'aimais vraiment. J'ai eu une brève frayeur en le voyant hésiter sur Tito Paris. Non tant parce que cela me renvoyait au Cap-Vert de son ex-femme que parce que Tito Paris, non, ce n'était vraiment pas possible.

C'est finalement sur une compilation de Burt Bacharach que nous avons pris la Queen Charlotte Drive qui, surplombant la mer d'un bout à l'autre du trajet, serpentait à flanc de collines jusqu'à la petite ville de Havelock. La beauté, dans ce pays, cela semblait aller de soi. *Une majesté sans tapage*, ai-je eu envie de noter sur un bout de papier. Rien d'incertain ni d'étriqué ne pouvait naître au milieu de ces couleurs si contrastées, du bleu pur du ciel et de l'eau et du vert des montagnes. On était *loin de tout*, selon l'expression consacrée. Bien au-delà d'un *voyage*, ce paysage paraissait t'avoir attendue depuis toujours pour t'offrir la synthèse de tout ce que tu aurais toujours recherché : de l'espace et de la paix. Loin devant, à l'horizon, un nuage unique et laineux paraissait posé en équilibre sur un sommet. L'ombre portée dessinait un cône parfait sur la montagne, comme le négatif d'un glaçage pâtissier. J'ai sorti mon téléphone et j'ai visé la montagne à travers le pare-brise. J'avais envie d'un titre qui comprendrait le mot *dessert*.

« Je les ai vues, tu sais, tes photos », a soudain dit Hadrien qui conduisait en silence depuis quelques kilomètres. Il avait la satisfaction coupable de celui qui vient, sans autorisation, de pénétrer un secret bien gardé. Les yeux toujours rivés à la route, il a ôté sa main gauche du volant et a baissé le volume de l'autoradio pour redonner la priorité à la conversation. « J'ai tapé ton nom sur internet et je suis tombé sur des photos, en général accompagnées de phrases très poétiques. C'est intelligent, ça intrigue beaucoup. On se dit que la personne derrière ces photos et ces mots doit être très observatrice et très sensible. Et qu'elle écrit très bien, surtout. Il renvoie à quoi, exactement, le titre de ton blog, *Géralde's Room* ? »

Il est toujours surprenant de faire l'objet de recherches sur internet lorsque l'on y passe soi-même beaucoup de temps à se renseigner sur les autres. Le fil d'actualité de mon compte Instagram avait beau être ouvert, cela me faisait toujours un drôle d'effet d'apprendre qu'un étranger à mes deux cents et quelques followers habituels y avait eu accès par le Net. J'ai expliqué à Hadrien que *Géralde's Room*, qui n'était pas un *blog* et qu'il fallait prononcer *Géraldize Room*, était une référence directe au roman *Giovanni's Room*, de James Baldwin. Que j'avais jadis fait du thème de « L'être à sa place » dans l'œuvre de James Baldwin et de Toni Morrison l'objet de mon mémoire de Master 2, à la Sorbonne. J'étais heureuse qu'il ait accordé suffisamment d'importance à mon travail pour se souvenir par cœur de cette phrase extraite de *Love* que j'avais mise en exergue :

A good man is a good thing, but there is nothing better in the world than a good good woman.

« Si j'avais restitué la citation dans son intégralité, j'ai ajouté, j'aurais écrit :

A woman is an important somebody and sometimes you win the triple crown : good food, good sex, and good talk. Most men settle for any one, happy as a clam. But listen, let me tell you something. A good man is a good thing, but there is nothing better in the world than a good good woman[1]. »

---

1. « Une femme, ce n'est pas n'importe quoi. Parfois, elle peut même te faire gagner d'un coup le triple gros lot : bonne cuisinière, bonne amante et bonne causeuse. L'homme moyen se contenterait d'un seul pour être heureux comme un pape. Alors ouvre les oreilles et souviens-toi de ce que je vais te dire : un homme bien, c'est une bonne chose. Mais il n'y a rien de tel au monde qu'une femme *super* bien. » (Toni Morrison, *Love*, 2003.)

« Tu l'aurais conservée comme ça, en anglais, sans traduire ? » a demandé Hadrien en baissant d'un cran supplémentaire le volume sur Dionne Warwick qui chantait *Walk on By*. Je ne savais quoi répondre à sa question, dont je ne comprenais pas bien l'utilité. Insinuait-il qu'il était snob de livrer sur un réseau social français des citations entières dans leur langue originale ? « Non, parce que j'ai une théorie, il a poursuivi. C'est peut-être une bêtise, tu me diras. » Il avait remarqué que chez les jeunes Noirs de France issus des diasporas africaines, plus rarement antillaises, notamment chez les femmes, l'usage de l'anglais était plus spontané et souvent meilleur que chez leurs congénères blancs. J'ai d'abord froncé les sourcils avec suspicion, par pur réflexe, comme chaque fois que j'entends un Blanc énoncer des généralités sur les Noirs. Voulait-il me laisser entendre que, comme la danse, le rythme, le 100 mètres olympique, le basket-ball, les vêtements extravagants, les coupes de cheveux délirantes, la nourriture épicée et le rire sonore, le *don des langues* était le propre de l'homme noir ? Ce fameux surdéveloppement chez lui de nos sens primitifs ?

Était-ce dû à la précision de ses termes et à son sens de la nuance, il me fallait reconnaître en tout cas que sa phrase sonnait juste. Sa théorie, disait-il, était que, la France ayant du mal à reconnaître et à intégrer ses minorités, il était devenu plus naturel pour un jeune Français noir de cette génération dite *consciente* de s'identifier à la langue des Droits civiques américains qu'aux valeurs prétendument *inclusives* de la République. Je ne me l'étais moi-même jamais formulé aussi clairement, mais il avait raison.

« Pas seulement la langue des Droits civiques, j'ai complété, mais celle de la culture afro-américaine en général. » Je pensais à ce fameux mot *Black*, qui longtemps avait eu une dimension et une portée politique que le mot *Noir* ne sous-entendait pas. Je pensais aux lotions et huiles pour cheveux, aux crèmes pour le corps, à tous ces produits cosmétiques pour Noirs importés des États-Unis qu'achetait ma mère et dont, depuis toute petite, je voyais les notices rédigées en anglais dans notre salle de bains de la rue des Favorites. Je pensais aux chansons de Whitney Houston, Mary J. Blige, Toni Braxton et Destiny's Child qu'au tout début de mon adolescence nous reprenions a cappella avec mes cousines non seulement avec l'accent, mais en en comprenant les paroles. J'ai pensé au magazine *Ebony* que, plus tard, à la fac, on se refilait avec Sandra et Aïssatou sans que le problème de traduction des articles ne se pose vraiment. Je pensais aux séries afro-américaines diffusées sur la chaîne BET que pas un Noir de ma connaissance n'aurait l'idée d'aller regarder dans leur version française. J'ai remonté ma vitre pour faire cesser le vacarme que le vent produisait en s'engouffrant dans l'habitacle de la voiture.

« L'anglais, pour les Noirs de France que l'histoire des Noirs intéresse, c'est un complément de liberté. D'intraduisibles notions davantage qu'une langue. Comme notre histoire ne nous limite pas aux frontières de la France et que la France ne fait pas toujours le nécessaire pour que l'on se sente des Français *exactement* comme les autres, disons que c'est un espace *à notre mesure.* »

Je n'avais pas l'habitude de tenir un discours aussi radical au-delà du cercle familial ou de quelques amis aussi naturellement concernés que moi par ces questions-là. M'ouvrir de la sorte à Hadrien signifiait, bien sûr, que je l'estimais humainement et intellectuellement assez éclairé pour lui confier des réflexions aussi intimes. Mais c'était aussi une façon de me livrer à lui tout entière, sans réserve ni omission, c'est-à-dire en prenant le risque de lui déplaire. Une déclaration d'amour, en quelque sorte.

« En fait, l'anglais n'est pour vous ni une fascination ni une coquetterie. C'est votre *base arrière linguistique.* » Notre conversation prenait des accents d'essai sociologique, à la limite de l'artificiel. Précision et synthèse : ses mots étaient parfaits en tout cas. Je découvrais avec Hadrien combien l'acuité intellectuelle, chez un homme, était pour moi un atout de séduction de premier plan, voire une source instantanée de désir. Comment aurais-je pu concevoir qu'un sujet de conversation sérieux comme celui-ci puisse prendre un tour aussi sexy ? Je voulais lui dire qu'il était le *good good woman* des hommes et que, à sa façon, lui aussi proposait un triple gros lot : la gentillesse, le tact et l'allant. De quoi s'attirer le respect d'une femme pour une vie entière. Il fixait la route avec cette intensité particulière que lui donnait la réflexion et que j'avais déjà pu observer à plusieurs reprises depuis sa conférence à l'Alliance française. Je me retenais de le supplier de quitter cette route nationale pour emprunter le premier chemin puis d'arrêter le moteur. Pour ensuite tendre ma main vers sa chemise afin d'en faire sauter les boutons d'un coup sec. « Pourquoi un tel intérêt pour une cause qui n'est pas la tienne ? » je lui ai demandé à la place. J'avais envie d'ajouter : « Qu'as-tu à y gagner, toi ? Uniquement de la matière pour tes articles et tes reportages ? »

Il m'a répondu qu'il s'était lui-même souvent posé la question, mais sans jamais pouvoir y apporter de réponse qui le satisfasse. Peut-être cette amitié d'enfance avec Idrissa, un camarade sénégalais du lycée français de Rabat. Idrissa dont les deux parents peintres fréquentaient des cercles beaucoup plus mélangés que celui de la plupart des Français expatriés au Maroc. « Très vite, la conscience qu'il y avait quelque chose qui clochait dans ce microcosme. Très vite, la conscience d'une hégémonie mensongère de race en pays d'autrui. »

Cela avait commencé par les fêtes. Chez Idrissa, les adultes dansaient et chantaient, beaucoup moins chez les Français. Il y avait moins de manières, plus d'ambiance. C'était plus détendu et plus drôle. On parlait aux enfants, on s'intéressait à eux. Puis cette constatation qu'il avait faite plus tard à Paris, au moment de ses études à Sciences Po puis à Normale, que les jeunes s'y regroupaient par affinités non seulement sociales mais également culturelles, et qu'il lui faudrait choisir son camp. « On n'a pas idée, lorsqu'on est un étudiant blanc à Paris, qu'on a une copine blanche, qu'on a essentiellement des copains blancs, qu'on sort dans des bars et des restaurants essentiellement fréquentés par des Blancs, qu'on ne part en vacances qu'avec des Blancs pour des destinations de Blancs, qu'on écoute de la musique essentiellement écoutée par des Blancs, qu'on rit à des blagues de Blancs, on n'a pas idée de tout ce que l'on rate : ce Paris plus métissé dont on ne parle pas, uniquement parce que le Paris blanc majoritaire n'en parle pas. On n'a pas idée de ce que l'on rate parce qu'on ne cherche pas à savoir, parce qu'on croit déjà savoir ce qu'on craint d'y trouver, dans ce Paris-là : d'autres goûts et d'autres usages, avec des gens habillés trop comme ci ou pas assez comme ça, qui parlent trop comme ci et pas assez comme ça, avec des filles pas assez ci ou trop ça, des musiques trop comme ci et des références littéraires pas assez ça. Mais ce qu'on ignore, dans le Paris blanc, c'est que cette façon de parler, ces vêtements, cette musique et ces filles n'ont rien à envier à ceux du Paris blanc. C'est que, au contraire, c'est celui-là, *le monde*. Le vrai, le vaste monde.

« En résumé, j'ai eu très vite la conviction

que, dans cette ville et dans ce pays dans son ensemble, les Français blancs étaient des ignorants tout-puissants. Pas méchants quoique assez condescendants dans l'ensemble, mais surtout tout-puissants. » Hadrien, que la lumière du milieu d'après-midi aveuglait, s'était tu pour abaisser tranquillement son pare-soleil. Sa pensée suivait toute seule son cours, sans les mots, cela pouvait se lire dans ses yeux qui fixaient toujours un point imaginaire au-delà de la route. J'avais envie de passer délicatement le dos de mon index sur l'arête de son nez, puis, sans transition, de plonger mes doigts tendus dans ses cheveux, comme une fourche, pour les lui tirer et le forcer à m'embrasser avec voracité. « Il y a eu Idrissa, donc, mais pas seulement. »

Il a repris en me disant qu'il y avait une autre explication à tout cela, mais à laquelle il n'avait pas vraiment prêté attention jusqu'à ses quarante ans : le fait d'être juif.

Il n'y avait, en théorie, rien d'extraordinaire à ce qu'il m'annonce qu'il était juif. Mais, sans que je comprenne pourquoi, cela résonnait quand même comme une information de poids. « Ah, je n'aurais pas imaginé », j'ai commenté sottement, bien consciente néanmoins que la couleur de ma peau, aux yeux de la terre entière, m'épargnait d'être assimilée à une personne potentiellement douteuse au plan idéologique (*Une Noire raciste ? Vous plaisantez !*). Il a reconnu que la partie *Rousseau* de son nom pouvait, en effet, facilement induire les gens en erreur. C'est son grand-père maternel qui, comme de nombreux Juifs de France au lendemain de la Seconde Guerre mondiale, avait choisi de franciser son patronyme. Ainsi, Rosenberg avait été transformé sur son état civil en Rousseau. Rousseau comme le philosophe, dont le fameux grand-père était, par ailleurs, un inconditionnel. Quant à Brach, qui était aussi le nom d'un célèbre scénariste de cinéma, c'était, comme Rosenberg, de l'ashkénaze pur jus.

Il a expliqué ensuite qu'il ne faisait aucun doute pour lui que, athées ou non, les Juifs étaient, en France, ceux qui pouvaient le mieux comprendre l'expérience de l'immémoriale stigmatisation communautaire. Et, par extension, de l'esclavage, même si de nombreux marchands et propriétaires d'esclaves, au XVIIIe siècle, avaient été des Juifs. D'où, de part et d'autre, une forme d'étrangeté originelle à la France, malgré l'antisémitisme affiché de certains militants noirs radicaux, qui se représentaient une *internationale juive* monopolisant la mémoire des peuples opprimés à coups de milliards de dollars et d'euros. Tandis qu'il me donnait une liste de couples engagés Noirs-Juifs célèbres, dont celui formé par les écrivains André et Simone Schwarz-Bart, je regardais à l'horizon ce nuage solitaire qui, depuis un moment, s'était détaché du sommet de la montagne pour devenir une volute qui se dilatait dans le ciel, un peu à la façon d'Aladin s'échappant de sa lampe à huile. À bout de résistance, j'ai interrompu Hadrien. « S'il te plaît, tu veux bien ralentir et prendre le petit chemin de terre, là-bas, à droite ? J'ai un truc à te dire, moi aussi. »

Rien dans ce pays ne me rattachait à rien, c'est sans doute la raison pour laquelle j'aurais pu séjourner quelque temps dans un village comme celui de Havelock, juste par curiosité. Je trouvais émouvants ces lieux de passage, partagés en deux par une route nationale qui n'avait pas de temps à perdre mais qui tâchaient pourtant de se faire un petit nom. Avec tous leurs commerces proprement alignés sous trois cents mètres d'auvents de bois avec piliers, avec leur coiffeur, leur église, leur station-service et même leur petit musée du rail. Havelock se vantait d'être la capitale mondiale de la *moule verte*, une espèce dont j'avais ignoré jusqu'ici l'existence. Comme dans un film américain, Hadrien s'est garé juste devant la porte du café central. À l'intérieur, c'était propre, cosy, accueillant. Ça sentait la cannelle et le pain toasté. Après avoir commandé au serveur du thé fumé, un granola maison ainsi qu'une assiette de lentilles-roquette-halloumi frit, Hadrien s'est connecté au réseau wifi du café puis, s'excusant, s'est levé en m'annonçant qu'il s'absenterait quelques minutes, le temps de passer un coup de fil important.

« Bien sûr, je t'en prie, vas-y », je lui ai dit sur un ton presque gêné, comme s'il allait de soi qu'il aille passer son coup de téléphone à l'écart et sans avoir à s'en excuser. Et, de fait, *c'était* tout à fait normal. Mais je ne pouvais m'empêcher de me sentir exclue par ce fait simple : qu'il ait à sortir de ce salon de thé pour s'isoler et téléphoner *seul*, sans moi. À la place de *Bien sûr, je t'en prie, vas-y,* j'avais envie de lui dire : *Oui, il est normal de se lever pour aller passer tranquillement un coup de fil, sans se justifier auprès de quelqu'un qu'on connaît depuis trois jours à peine. Il est normal pour tout individu, aussi épris soit-il d'un autre individu, de conserver ses territoires privés et ses secrets, fût-ce pour passer un simple coup de fil professionnel. On dit même qu'il est essentiel de cultiver un peu de mystère pour préserver l'équilibre d'un couple. Mais c'est normal pour les autres. C'est normal pour des êtres humains normaux, au sein d'un couple normal né d'une rencontre normale. C'est normal pour tout le monde, mais pas pour nous. Parce que nous, une rencontre telle que la nôtre, si inespérée, si inattendue, si rare, si entière, nous, c'est sacré.* Jamais un homme n'avait révélé chez moi un tel sentiment de possessivité. Je comprenais soudain, dans les romans et dans les films, ces personnages basculant dans la folie amoureuse, séquestrant l'être aimé par désir d'exclusivité absolue, jusqu'à les détruire. Est-ce une folie, est-ce si déraisonnable que cela, d'exiger de l'autre une transparence à la mesure du sentiment que l'on éprouve pour lui ?

Il a déposé un baiser sur ma tempe puis est sorti passer son appel sur le trottoir. À mon tour, je me suis connectée tandis que le serveur déposait sous mon nez un cappuccino fumant, en surface duquel le barista avait réalisé à la mousse de lait chaud un joli motif de fougère. Hadrien venait à la seconde de m'envoyer un message sur WhatsApp : *Heureux comme avec Géralde (d'après Rimbaud).* Mon cœur s'était mis à battre sous l'effet de la surprise. J'ai tourné la tête vers la rue. Derrière la vitrine du salon de thé, déjà en pleine conversation dans son téléphone, il m'a lancé un sourire complice, heureux de son effet.

Raide mad d'Hadrien (d'après moi-même), je lui ai aussitôt texté en retour. Pour garder une image de cet instant de grâce, j'ai activé l'appareil photo de mon iPhone et j'ai snappé son sac accroché par la bandoulière au montant de sa chaise vide. J'ai écrit : *H ou la réalité augmentée,* puis j'ai posté.

Fadila m'avait envoyé un lien, suivi d'un smack pour toute signature. Il renvoyait à une longue interview qu'Hadrien avait donnée en 2014 à *Paris-Match* à propos d'un reportage pour France 2 sur « Le Caire post-place Tahrir ». Que Fadila google Hadrien à la minute même où je lui livrais pour la première fois son nom afin de découvrir son visage, cela me paraissait tout à fait normal entre copines. Mais qu'elle aille, de sa propre initiative, trois jours plus tard, rechercher sur internet des articles dont je n'avais pas encore pris moi-même connaissance me donnait soudain une désagréable sensation d'intrusion, voire d'usurpation. Son smack final n'en apparaissait que plus hypocrite. Est-ce l'amour qui fait tomber les masques ou moi qu'il rendait particulièrement paranoïaque ?

Sur l'article, Fadila avait entouré deux passages au jaune fluo. Le premier concernait une remarque d'Hadrien sur le terme *Printemps arabes*. « *À cette notion de "Printemps", tout aussi ethno que climatocentrée, je préfère de très loin celle d'*insurrection », insistait Hadrien. TOUT À FAIT D'ACCORD !!! avait commenté Fadila dans la marge. Dans le deuxième passage qu'elle avait sélectionné, beaucoup plus long, le journaliste de *Paris-Match* disait : « *Gilles Scodellaro, votre caméraman, a évoqué à votre sujet un accident vasculaire cérébral survenu dans un souk du Caire, la veille de votre retour pour Paris.* » « *Oui*, répondait Hadrien, *j'ai eu beaucoup de chance. Il était midi et il faisait particulièrement chaud, la température devait avoisiner les quarante degrés ce jour-là. On venait de terminer dix jours épuisants de travail par une dernière interview du ferrailleur qui figure parmi ces six portraits qui composent le reportage. Gilles était en train de réaliser quelques plans de Khan El Khalili quand j'ai ressenti un mal de tête accompagné d'une perte brutale de 60 % de ma capacité de vision. Pendant plusieurs minutes, je n'ai plus vu qu'une partie du visage de Gilles, qu'une partie du visage des commerçants et des passants de ce souk, qu'une partie des enseignes des boutiques et des étiquettes de prix plantées sur les articles. J'ai cru tout d'abord que c'était une migraine ophtalmique, une hallucination passagère due à l'effet du soleil et du* *surmenage. Mais lorsque je me suis rendu compte que les taches noires dans mon champ de vision ne s'estompaient pas, et que je commençais même à avoir des difficultés à articuler, Gilles a rangé sa caméra et a hélé un taxi pour me ramener en vitesse à l'hôtel. Là, dans le calme et la pénombre de ma chambre, après une aspirine, j'ai progressivement retrouvé la vue et la parole et tout est revenu à la normale. C'est quelques jours plus tard, à Paris, après avoir parlé de ce qui m'était arrivé à un médecin qui m'a tout de suite conseillé de faire des examens, qu'un scanner a révélé que j'avais eu ce qu'on appelle un accident ischémique transitoire. En d'autres termes : un AVC qui s'est bien terminé. Pour réduire les risques que cela ne se reproduise, je suis soumis à une prise quotidienne d'aspirine microdosée pour le reste de ma vie. »*

Cette fois, Fadila s'était contentée pour son commentaire de petits points de suspension jaune fluo, comme si la gravité de l'événement la dispensait de mots. Je sentais moins sous ces points de la compassion qu'une incitation discrète à mon endroit à lâcher l'affaire. Sous-entendu : Comment te lancer dans une histoire d'amour avec un type qui a une telle épée de Damoclès au-dessus de la tête ? Je l'imaginais avoir passé des heures à éplucher avec une avidité ambiguë les articles et les vidéos où Hadrien apparaissait, sans bien savoir elle-même si, ce qu'au fond elle voulait, c'était mon bien ou mon copain. Elle avait été tellement habituée à mes histoires navrantes à répétition que l'apparition subite dans ma vie d'un type de la dimension d'Hadrien en décuplait la portée, surtout dans des circonstances aussi romanesques qu'un voyage à l'autre bout de la terre. *Oui, merci, j'étais au courant, Hadrien me l'avait déjà dit*, je lui ai répondu, incapable d'admettre que j'ignorais un détail aussi important à propos de cet homme qui était censé être le mien désormais.

Il y avait également un message d'Alain, le premier que je recevais depuis notre rupture de la fin du mois de juillet, six mois auparavant. Recevoir ex nihilo, six mois plus tard, le message d'un type qui t'a quittée un soir par texto sans raison valable provoque une sensation contrastée : le rappel imprévu d'une histoire mal digérée mêlé à une intense bouffée d'orgueil, comme si le temps avait fini par te rendre justice. *cc, ça fait un baille, kes tu deviens ?* me demandait-il. Ce ton et cette orthographe me ramenaient à une autre vie, c'est-à-dire à celle que j'étais avant ma rencontre avec Hadrien. Je n'ai pu retenir un sourire à la seule idée de comparer Alain et Hadrien. Finesse, attention, niveau de maturité, capacité à faire rêver : tout les séparait. Et pourtant, le souvenir d'Alain ne parvenait pas à me laisser tout à fait indifférente. Je me sentais comme une enfant gâtée, comblée à la fois d'être aimée par un prince 100 % charmant et d'éveiller la nostalgie d'un beau mâle encore trop vert mais sincère, attendrissant malgré ses bougonnements et ses maladresses de toutes sortes. Et qui, c'est loin d'être négligeable, avait eu l'art de me mettre dans un état prononcé de ferveur sexuelle. *La mairie de Charenton-le-Pont ma confié l'organisation d'une soirée gwada samedi 13 février,* poursuivait-il dans son texto. *Traiteur, DJ, élection de Miss DOM-TOM 94, un zouk kontest et plein de surprises, ca va être trop cho. Ca fait un mois que g bosse dess, tu px pas rater ça. Yora mm un ecrivain gwad, ta aucun excuz. Dit pas non stp, ca me ferais vraiment plaisir que tu soit la, je sais qu'on s'est pas encore tout dit.*

Ce message révélait une part importante de la personnalité d'Alain, confirmant notamment ce que j'avais perçu dès le premier jour chez lui : son complexe intellectuel vis-à-vis de moi, la frustration de ne pouvoir s'affirmer dans un domaine rejoignant mes centres d'intérêt à moi. Il avait attendu six mois pour trouver une bonne raison de m'écrire et il l'avait trouvée : la mairie d'une ville de proche banlieue parisienne l'avait jugé suffisamment sérieux et compétent pour lui confier l'organisation d'un événement culturel à volets multiples. J'étais tout à la fois surprise, vengée en douceur et émue. Et particulièrement touchée par cet argument un peu naïf mais qu'il considérait, lui, imparable pour me convaincre : la présence d'un écrivain guadeloupéen à sa soirée.

Heureuse d'avoir de tes nouvelles, Alain, j'ai écrit. *Je suis très contente pour toi, bravo, c'est une excellente nouvelle et je te garantis que, si j'avais pu venir, je l'aurais fait avec grand plaisir. Mais je suis actuellement en Nouvelle-Zélande sans date fixe de retour pour le moment. Bises, Géralde.* Jugeant mon ton suffisamment réservé mais pas froid non plus, j'ai tapé sur *envoi.* Pendant les quelques secondes qui ont suivi, je me suis demandé s'il était répréhensible de ne pas avoir mentionné l'existence d'Hadrien dans mon mot. Une phrase telle que *Je sais qu'on ne s'est pas encore tout dit* me paraissait suffisamment allusive de la part d'Alain pour mériter d'être rapidement désamorcée afin que les choses soient bien claires : je n'étais plus disponible. Et, en même temps, évoquer Hadrien m'aurait semblé précipité, trop ostentatoire, injustifié dans un contexte en apparence si neutre. Je m'en voulais quand même un peu : est-ce par pudeur ou par prudence que j'étais restée aussi vague ? Était-ce une loi de la nature humaine que de se ménager une porte de sortie malgré la conviction absolue qu'on a d'avoir fait le bon choix ? Se regarder de trop près, ça ne fait pas toujours plaisir à voir.

Impossible de ne pas penser à son AVC lorsque je regardais Hadrien, surtout dans les moments où s'exprimaient pleinement son énergie et son enthousiasme. La veille, après Havelock, nous étions arrivés en fin d'après-midi à Nelson, une ville de pêche industrielle qui s'étendait le long du littoral. À peine après avoir déposé nos bagages dans un hôtel du centre, Hadrien avait tenu à ce que nous grimpions dans l'une des collines environnantes afin d'assister au coucher du soleil depuis ce lieu précis déterminé par un cartographe du XIXᵉ siècle comme étant *The Centre of New Zealand*, dont Lonely Planet nous apprenait qu'il était le point de croisement des diagonales nord-ouest / sud-est et nord-est / sud-ouest des îles du Nord et du Sud réunies. Au cours des quarante minutes qu'a duré l'ascension jusqu'au monument érigé au sommet de la colline, je guettais du coin de l'œil les signes d'une éventuelle défaillance d'Hadrien en envisageant toutes les options possibles en cas d'accident : le laisser seul sur place le temps de redescendre prévenir quelqu'un en ville ? Tenter d'appeler les secours locaux à partir de mon téléphone français ? Ou bien à partir de son téléphone à lui, dont le forfait permettait un excellent roaming depuis les quatre coins de la planète ? Les opérateurs du monde entier ne prévoyaient-ils pas, d'ailleurs, un accès gratuit aux numéros d'urgence, où que l'on se trouve ? Le faire boire ? Le ventiler ? Lui donner de l'aspirine ? D'ailleurs, l'avait-il prise, ce matin, sa dose quotidienne d'aspirine ?

Tout en haut, où l'on était gratifiés d'une vue impériale sur l'ensemble de la ville de Nelson, du port, sur une succession de chaînes de montagnes ainsi que sur le Pacifique rougeoyant, il restait quelques touristes venus, comme nous, assister au crépuscule de cette journée au ciel impeccable. Ce qui avait incité Hadrien, au moment où le soleil s'apprêtait à disparaître derrière la ligne de l'horizon, à m'attirer légèrement à l'écart. Il avait sorti son téléphone de la poche intérieure de sa veste, avait pressé quelques touches puis remis l'appareil dans sa poche. Les premières mesures de la reprise de *So in Love*, par Caetano Veloso, s'échappaient en sourdine de ses vêtements, au niveau de sa poitrine, lorsqu'il m'avait prise dans ses bras pour m'entraîner collé-serré dans une danse lente. Il ne bougeait pas parfaitement en rythme, il marchait même sur le bout de mes Nike de temps en temps. Mais c'était un moment si léger qu'on en oubliait qu'il cumulait à lui seul tous les clichés du romantisme guimauve : point culminant et panorama, crépuscule, crooner et violons. Ma joue pressée contre l'épaule d'Hadrien, je percevais, au gré des petites révolutions que nous accomplissions sur nous-mêmes, des sourires attendris sur les visages des touristes qui avaient fini par nous repérer. Cliché ou pas, Hadrien avait su donner un caractère unique à cette initiative, dont l'évidence me touchait jusqu'à me faire monter des larmes aux yeux. Je vivais ce que toute femme amoureuse rêve de vivre : des sentiments sans cesse confirmés et régénérés par des faits. *Il n'y a pas d'amour, il n'y a que des preuves d'amour.*

Après la danse, saluée par les applaudissements discrets des touristes, nous avions pris le temps de regarder ensemble le paysage. Il y avait tout en bas, au loin, à quelques centaines de mètres de la côte, ce qui ressemblait à une interminable digue tracée au milieu de la mer. Déserte, très étroite, parallèle au rivage, elle s'étendait depuis l'extrémité de notre champ de vision, tout à droite, jusqu'à l'entrée du port de Nelson, presque tout à gauche. Un phare y était planté. « Je n'ai aucune idée de ce que ça peut être mais, demain, on va là », avait déclaré joyeusement Hadrien en pointant du doigt la drôle de ligne blanche.

Je n'avais pas le souvenir d'avoir jamais rencontré quelqu'un de l'âge d'Hadrien animé en permanence d'un tel entrain et d'une telle curiosité vis-à-vis de tout, au point de te faire oublier que la vie est une affaire sérieuse remplie d'insatisfactions de tous ordres et de soucis à régler. Enfant, j'observais la gravité des *grands* en me disant que, s'ils n'avaient plus le cœur à s'amuser, c'est que les enjeux de la vie d'adulte devaient être trop compliqués à comprendre pour une petite fille comme moi. Devenue adulte à mon tour, je n'ai jamais tout à fait perdu de vue cette sensation. Je me suis juste rendu compte que, les soucis et l'insatisfaction, cela pouvait être aussi une affaire de point de vue, de façon de *prendre les choses*, comme on dit, *du bon côté*. Que ces *choses*, les choses de la vie, n'étaient pas beaucoup plus compliquées que ça, finalement, si on décidait de s'en amuser un peu. Que les regards désenchantés et les fronts barrés des grands étaient avant tout ceux d'enfants tristes s'étant avérés incapables de la rendre moins compliquée, la vie. Un type comme Hadrien, avec ses yeux amusés et sa façon de s'émerveiller de tout et n'importe quoi, de tout commenter, de ne plus établir de hiérarchie entre les choses importantes et celles qui ne le sont pas, avec son talent de, comme dit le samouraï, *prendre avec gravité les choses légères et légèreté les choses graves*, un type comme lui te fait comprendre à trente ans à quoi cela sert, de devenir adulte puis de vieillir : à empêcher les enfants qui le souhaitent vraiment de devenir un jour de grands enfants tristes. Et à montrer aux grands enfants tristes que leur tristesse n'est pas une fatalité. Qu'on peut toujours, jusqu'au bout de sa vie, trouver de bonnes raisons de s'en amuser, comme l'enfant qu'on fut jadis.

Nous marchions à présent seuls sur le fameux Boulders Bank, dont Lonely Planet nous avait appris qu'il était le résultat unique au monde d'un mouvement de la marée ayant constitué, au fil des siècles, cet isthme naturel de galets blancs long de treize kilomètres et qui ne servait à rien d'autre que s'ajouter au *Centre of New Zealand* pour faire de Nelson la ville d'au moins deux curiosités d'envergure internationale. Avec le ciel bleu infini au-dessus de nos têtes et la mer de part et d'autre de ce monticule sinueux et sans ombre de cailloux qui ne menait nulle part, le décor, spectaculairement nu, incitait aux confidences. Hadrien, qui plissait les yeux comme un acteur de western sous le soleil, a suggéré que chacun pose à tour de rôle à l'autre une question sous la forme d'un mot, à développer librement, sans que celui qui a posé la question soit autorisé dans l'immédiat à un commentaire. Nous avons tiré au sort à pierre-papier-ciseaux et c'est lui qui a commencé avec le mot *Père*.

Je m'attendais de sa part à une entame moins brutale pour une première question. Face à n'importe qui d'autre, j'aurais passé mon tour ou demandé une seconde pioche. Mais quelqu'un d'aussi aigu qu'Hadrien, aussi *adulte*, ne te laissait pas le choix. En refusant de jouer le jeu, j'aurais eu le sentiment de ne pas me montrer à la hauteur parce que, pas un instant, je ne l'imaginais lui-même pouvoir se dérober à quelque difficulté que ce soit.

« Le mien s'appelle Polycarpe », j'ai commencé par répondre pour gagner un peu de temps avant d'affronter le dur du sujet. Percevant chez Hadrien l'effort de ne pas trop afficher sa surprise, voire de réprimer un sourire, je lui ai rappelé qu'il était courant de donner des prénoms de personnages bibliques de toutes sortes, y compris les plus insolites, dans les pays d'Afrique francophone. « Polycarpe de Smyrne était un disciple de Jean qui fut condamné au bûcher pour s'être opposé à l'empereur Marc Aurèle », j'ai précisé d'un ton un peu théâtral. Puis, en silence, je me suis baissée pour ramasser une petite branche de bois mort qui traînait entre deux galets. « La dernière fois que je l'ai vu, c'était il y a deux ans », j'ai repris en me relevant puis en cassant aussitôt l'extrémité de la branche pour occuper mes doigts. J'ai expliqué à Hadrien qu'à l'occasion de mon dernier séjour au Cameroun passé chez mon oncle maternel, j'avais tenté de joindre mon père par téléphone dès le lendemain de mon arrivée. Étant tombée sur son répondeur, je lui avais laissé un message vocal, doublé d'un SMS pour qu'il n'ait pas l'excuse de ne pas avoir consulté son répondeur. Ce n'est que trois semaines plus tard, la veille de mon départ, qu'il m'avait rappelée pour m'inviter à déjeuner. Déçue, écœurée, j'avais eu envie de lui raccrocher au nez, de lui demander pourquoi il avait tant attendu avant de me rappeler. De lui préciser qu'il aurait même été préférable qu'il n'appelle pas plutôt que de le faire l'avant-dernier jour. De bien lui faire comprendre, surtout, que je n'étais pas à son service, qu'il m'ôtait toute envie de le voir, à faire montre ainsi d'aussi peu d'empressement à me voir, moi. Mais, évidemment, je ne lui avais rien dit de tout cela, comme toujours. Comme toujours, j'avais ravalé ma colère et obtempéré à son bon vouloir à lui. Comme toujours, son indifférence l'avait emporté sur mon attente et mes rancœurs. Et, même, sur mes vaines tentatives de ne plus rien attendre de lui au fil des années. Parce que rien ne résiste à l'indifférence.

Il m'avait donné rendez-vous dans un restaurant-buffet chic du quartier des ministères, à Yaoundé. On y croisait de hauts fonctionnaires en costume-cravate qui y donnaient volontiers rendez-vous à leurs maîtresses à déjeuner, avant de les emmener s'allonger pour une heure ou deux dans une chambre de l'hôtel Hilton voisin. C'était un restaurant de qualité où je le retrouvais à chacun de mes séjours à Yaoundé, une fois tous les deux, trois ans, moi qui, comme la grande majorité des Camerounais et des Camerounais d'origine, n'envisage pourtant de manger de cuisine camerounaise qu'à la maison, préparée par des personnes de confiance. J'en aimais la salle de bois sombre, cossue mais sans mauvais goût, ouverte sur une cour remplie de plantes vertes en pot. J'en aimais les nappes blanches propres et épaisses, les jus de gingembre ou de foléré maison servis avec des glaçons dans de longs verres, les chauffe-plats qui maintenaient à bonne température les pilons et les ailes de poulet marinés, le bœuf en sauce, le porc, le poisson frit, le water fufu, les plantains, le manioc et les ignames. Et puis aussi ces tranches de pastèque fraîche bien rouge et les gros cubes de mangue juteuse que les serveurs à nœud papillon t'apportent pour le dessert. J'en aimais l'élégance des habitués aussi, même si je ne pouvais m'empêcher de penser que tous ces gens-là, prétendument voués au service de leur pays, étaient surtout la cause de l'interminable agonie du Cameroun, à force de petits et gros arrangements avec leur morale. Malaise accentué à l'idée que mon père en faisait partie, de cette franc-maçonnerie d'État dont il valait mieux tout ignorer des pratiques afin de conserver leurs privilèges et les grâces des encore plus puissants qu'eux. Lui qui s'était fait déposer sur le perron du restaurant avec son costume tendu de toutes parts par son surpoids et sa voiture de fonction aux vitres teintées, dont la portière arrière avait été ouverte au garde-à-vous par un chauffeur qu'il devait certainement rémunérer à coups de recharges de crédit d'appel de 5 000 francs CFA et de restes de ses repas de la veille.

À moi, pourtant, c'est de l'argent qu'il avait proposé, après ce déjeuner au cours duquel à peine quelques mots de convenance avaient été échangés entre nous. Ou, plutôt, après vingt bonnes minutes de ses mastications sonores à lui, vingt minutes pour venir à bout de la montagne d'aliments de toutes sortes dont il avait rempli à ras bord son assiette au buffet, où les côtes de porc côtoyaient le poisson en sauce, qui côtoyait les tomates vinaigrette, qui côtoyaient les brochettes de crevettes grillées, qui côtoyaient les frites de plantain, qui côtoyaient une généreuse portion de folong, qui côtoyait deux tranches de mets de pistache, qui côtoyaient une bonne cuillerée à soupe de piment arrosé de sauce Maggi. « Tu as besoin d'argent ? » m'avait-il demandé en toute fin de repas, repu, une fois sa serviette blanche dénouée de son cou et sa chaise reculée pour détendre enfin ses jambes, besognant ses molaires à l'aide d'un cure-dent pris en tenailles entre son pouce et son index énormes. *Tu as besoin d'argent ?* Sans même attendre ma réponse, il avait porté sa main à l'intérieur de sa veste et en avait retiré une liasse pliée en deux de cinq cent mille francs CFA qu'il m'avait tendue ostensiblement par-dessus la table, sous les yeux des serveurs, dont ces cinq cent mille francs équivalaient à sept ou huit mois de salaire. Il m'avait tendu cet argent d'un geste de seigneur en veine d'indulgence, avec une autorité dédaigneuse, sans prendre la peine de recompter les billets qu'il me donnait, exactement comme il devait procéder avec les maîtresses qu'il emmenait dans le même restaurant, sans m'avoir posé une seule question sur ma vie ou sur mon travail puisque, n'ayant fait ni Sciences Po ni l'ENA, n'étant ni avocate ni médecin, n'ayant pas non plus de poste à responsabilités au sein d'une organisation internationale, ne m'étant fait dans aucun domaine un nom susceptible de lui donner l'occasion de se mettre lui-même en valeur, je ne méritais pas qu'il s'intéresse à ma vie. Pas davantage que rue des Favorites lorsque, à huit ans, j'attendais en vain qu'à l'occasion de ses rares visites il me demande de lui montrer mes dessins. D'abord tentée par orgueil de refuser cet argent, j'avais accepté ses billets sans faire de manières. Parce que cinq cent mille francs ne se refusent pas. Surtout si c'est ton papa qui te les donne.

« Parce que malgré tout ça », j'ai dit à Hadrien en rejetant parmi les galets les trois centimètres qui restaient de la branche que je venais de débiter par petits bouts, « parce que, aussi bizarre que cela puisse paraître, j'y tiens, à mon père ». Il ne m'avait jamais prise dans ses bras, jamais adressé le moindre compliment ni le moindre mot tendre, mais j'y tenais. Il m'avait toujours inspiré un mélange tordu de crainte et de respect, avec sa voix de basse, ses yeux jaunes et son économie de mots. Avec cette façon de garder son aplomb en dépit de sa part d'ombre et de tous nos rendez-vous manqués. Il avait été à deux doigts de me faire prendre en grippe tous les hommes noirs susceptibles de me plaire que je croisais, mais j'y tenais.

Je me suis tournée vers Hadrien, qui approuvait avec gravité. Son front était couvert de sueur. « Tu n'as pas trop chaud ? » je lui ai demandé d'un air aussi détaché que possible, tentant d'évacuer de mes pensées l'image de lui perdant provisoirement la vue dans ce souk du Caire, en 2014. « J'ai un pagne dans mon sac. Tu es sûr que tu ne veux pas que je t'en fasse un turban pour te protéger un peu du soleil ? » Toujours plongé dans ses réflexions, il a fait un non machinal de la tête tout en chassant la sueur de ses sourcils d'un revers expéditif du pouce. Pendant quelques secondes, nous avons poursuivi notre marche en silence, côte à côte, avec nos yeux pensifs qui glissaient sur les cailloux. Puis je me suis souvenue que c'était mon tour de poser une question. « *Hadrien* », j'ai dit, tout simplement. « Mon mot, c'est *Hadrien*. Avec un H. »

Il tenait son prénom des *Mémoires d'Hadrien*, de Marguerite Yourcenar, le roman préféré de sa mère lorsqu'elle avait vingt-cinq ans. « Hadrien fut un grand réformateur de l'Empire romain, pacificateur mais sanguinaire, très porté sur

les arts, la philosophie et les jeunes garçons »,
a-t-il précisé à son tour en souriant, d'un ton
qui parodiait gentiment le mien lorsque j'avais
évoqué Polycarpe de Smyrne. Puis il s'est brièvement gratté la tête, comme il est d'usage de
faire lorsqu'on cherche ses mots pour aborder
une explication délicate. *Plus sérieusement*, il se
sentait, dixit, *sous contrôle d'un surmoi permanent,
avec d'occasionnels accès de naturel*. Il y avait une
violence à bouts ronds dans cette information.
« Qu'est-ce que ça veut dire ? » je l'ai coupé en
faisant halte net sur le chemin afin de le forcer à
s'arrêter lui aussi. Je contrevenais sans vergogne
à la règle de silence qui était imposée à l'écoutant. Mais tant pis, c'était plus fort que moi.
« Nous deux, par exemple, tu classes ça dans le
surmoi ou l'*occasionnel accès de naturel* ? » Comprenant ce que sa phrase pouvait comporter de
perturbant, il s'est avancé de quelques pas pour
me prendre dans ses bras.

« Nous deux, c'est hors catégorie », il a chuchoté avec ses lèvres noyées dans mes cheveux,
en pressant une main qui se voulait rassurante
dans mon dos et en soutenant doucement ma
nuque de l'autre. Ce qu'il voulait dire par là,
c'est qu'il avait, depuis l'adolescence, du mal
à prendre part aux choses de la vie sans se forcer, sans se regarder y prendre part, comme un
spectateur tantôt sceptique, tantôt amusé. Ou
comme une poupée russe qui tantôt se déboîte-
rait, tantôt se remboîterait toute seule. Du mal
à s'émouvoir sans *se voir* s'émouvoir. Du mal

à se réjouir *pour de vrai* d'acheter une nouvelle voiture, ou d'emménager dans un appartement plus grand et mieux situé dans Paris. Du mal à chanter à tue-tête avec les autres de vieux tubes de sa jeunesse au cours d'une soirée un peu arrosée. Du mal même à chanter fort un simple *Bon anniversaire* devant un gâteau planté de bougies. Du mal à sauter de joie *pour de vrai* à l'annonce d'une bonne nouvelle. Même le jour de la naissance de sa fille, que pourtant il aimait aujourd'hui plus que quiconque au monde, il n'avait pas ressenti d'émotion particulière. Juste l'étrange sensation, en assistant à l'accouchement dans la salle de travail de l'hôpital, de se dédoubler lui-même en un nourrisson de sexe féminin. « En tout cas, ce n'était pas *le plus beau jour de ma vie.* »

Ce détachement ne s'appliquait pas uniquement en cas de petits bonheurs, ce serait trop simple. Il avait, de la même façon, du mal à tout à fait prendre au sérieux l'annonce des mauvaises nouvelles. Il avait eu récemment, au cours d'un reportage en Égypte, une sérieuse alerte de santé. Alors qu'il pensait mourir ou devenir aveugle, il s'était étonné, dans les moments mêmes où les symptômes se manifestaient, de ne pas s'angoisser davantage. Même le cadreur qui l'accompagnait s'était montré beaucoup plus inquiet que lui. Il avait juste pensé : *J'ai bien vécu. Si c'est mon heure, c'est que c'est mon heure, point final.* Peut-être est-ce la raison pour laquelle il tâchait de racheter ce naturel trop froid par un surrégime d'enthousiasme, tout au moins à l'égard des émotions des autres. Fêter haut et fort *leurs* bonnes nouvelles et *leurs* anniversaires, donner de sa personne pour tenter de *les* aider à surmonter leurs drames personnels. « Ça ne me rend pas plus noble ni plus méritant sur un plan strictement moral. Mais au moins puis-je servir à quelque chose », il a dit en desserrant son étreinte pour m'inciter à reprendre notre promenade sur le Boulders Bank.

C'est ce *surrégime*, notamment, qui pouvait expliquer l'énergie qu'il mettait à exercer son métier. Parce qu'il ne fallait pas rêver, rares étaient les reporters qui se rendaient sur le terrain dans un réel souci d'éthique. Sans atteindre les cas extrêmes des *fous de guerre*, ces photographes kamikazes qui allaient chercher dans les situations les plus périlleuses leur shoot de sensations fortes, un peu comme certains ne trouvent de jouissance sexuelle que dans les perversions du sadomasochisme, les journalistes se moquaient bien, au fond, des dérives autocratiques d'un Viktor Orbán ou du destin des réfugiés syriens. Ça ne valait pas à leurs yeux, en tout cas, l'obtention d'un prix Albert-Londres ou une promotion au sein de leur journal, à Paris. Quant à lui, c'est parce qu'il n'était animé d'aucune ambition particulière qu'il avait cette tendance à *toujours aller voir ailleurs s'il y était*, et une telle facilité à s'impliquer pour d'autres causes que la sienne. « Tu te sens forcément plus intelligent que tout le monde lorsque tu ne crois en rien.

Lorsque tu crois que tu as tout compris à la vie en n'y participant pas, au prétexte qu'elle n'a pas de sens. Jusqu'au jour où tu te rends compte que c'est tout le contraire : le détachement, c'est l'alibi des faibles, des capitulants. Le détachement, c'est l'évidence et c'est si facile. Alors tu te prends par la main et tu forces ton cœur à battre. Même si, sur le papier, cela peut te sembler aussi vain que d'engueuler les nuages lorsqu'il se met à pleuvoir. Tu te forces, c'est la seule façon d'admettre. »

Je ne savais par quel bout appréhender une telle somme d'aveux. Il y avait quelque chose de rude dans cette volonté de transparence absolue d'Hadrien. J'étais à la fois rassurée par son honnêteté, et un peu inquiète : *Ce cœur ambigu dont tu parles*, j'avais envie de lui demander, *tu le forces à battre jusque dans l'amour ? Tout cela signifie quoi, pour nous ?* Me confier des choses si personnelles, était-ce une façon pour lui de me dire de ne surtout pas me faire d'illusions ? Ou bien, au contraire, était-ce parce que notre rencontre, ce *nous deux hors catégorie*, comme il le qualifiait lui-même, était plus fort que ses doutes qu'il pouvait se permettre de *tout* me dire ? Pourtant, je comprenais avec la plus grande limpidité tout ce qu'il venait d'exprimer. Il venait précisément de trouver les mots que je pensais, jusqu'à ce que je le rencontre, ne jamais pouvoir partager avec un homme. *Le détachement en commun, ça rapproche comme rien d'autre* : je voulais noter cela quelque part et l'illustrer par une photo de ce Boulders

Bank qui était une voie sans issue, certes, mais si lumineuse entre mer et ciel. Le détachement rapproche, oui. Mais je me demandais quand même si mon détachement à moi n'était pas un peu plus humain que celui d'Hadrien.

L'étape routière du jour jusqu'à Maruia avait été longue et spectaculaire. Ce pays semblait reproduire des paysages européens de référence, mais en mieux. Je n'avais jamais été en Autriche, mais par moments je pensais : *Autriche*. J'avais déjà été en Suisse et je pensais : *Suisse*. Je ne m'étais jamais rendue en Bavière et je pensais : *Bavière*. J'avais passé des vacances en Bretagne, dans les Vosges, en Savoie, en Normandie et en Alsace et je pensais : *Bretagne, Vosges, Savoie, Normandie* et *Alsace*. Et pourtant, ce n'était rien de tout ça. Ou, plutôt, c'était tout cela à la fois, mais, comment dire, en plus ramassé, plus contrasté et plus concentré, sans le moindre déchet visuel. Nous avions traversé en voiture des scènes naturelles d'une perfection publicitaire, presque risible. C'était comme si l'on avait sélectionné le meilleur des paysages forestiers d'Europe pour en découper les plus beaux angles, pour les recoloriser puis les assembler bout à bout sur une planète toute neuve. Pas une colline ratée, pas un arbre mal feuillu, pas un jaune qui ne pète pas, pas un vert qui ne semble tout juste sorti d'une imprimante couleur haut de gamme. Même les poteaux électriques et les *road signs* se fondaient joliment dans la nature. L'ensemble évoquait une collection d'huiles exécutées par un élève très appliqué d'un cours réputé de peinture figurative. Pas un élève follement créatif, mais un très bon élève, très fiable, très organisé, très sain d'esprit et très positif. Je pensais *riants pâturages, vertes vallées, trous de verdure, trésors de la nature, havre de paix*. Je pensais *randonnées pédestres, refuges d'altitude, équilibre, paix, qualité de vie, lait entier pasteurisé, Heidi, La Petite Maison dans la prairie, petit paradis*.

Toute cette magie devait tenir à des histoires de miraculeux *miroitement de matière*, comme l'évoquait avec poésie au lycée cette prof de SVT qui nous entretenait également si bien d'urine. Peut-être une question d'orientation de la lumière, de qualité des plaques tectoniques, de degré d'inclinaison des terres à la surface du globe. De *réfraction terrestre*, qui sait, ainsi je l'avais lu un jour à l'occasion de je ne sais plus quelle revue de presse que j'effectuais pour je ne sais plus qui. Je n'avais rien saisi au concept scientifique mais ce terme aussi m'était resté en mémoire. Bref, une question d'hémisphère, sûrement. Cela tenait beaucoup aux espèces végétales, en tout cas. Parce que, en regardant de plus près, tu te rendais compte que tu n'avais jamais vu ailleurs ce type d'arbres, de plantes et de fleurs. Tout était tour à tour *mignon*, puis *charmant*, puis *beau*, puis *très beau*, puis *magnifique*, puis *merveilleux*. Chaque fois que j'avais sorti mon iPhone pour attraper un bout de cette beauté, le résultat sur mon écran ne s'avérait pas à la hauteur. Pas de perspectives, pas de reliefs, pas de couleurs. Rien qu'une assiette anglaise de formes et de teintes qui tombaient à plat. J'avais donc fini par me résoudre à photographier le paysage tel que le rétroviseur fixé à ma portière voulait bien me le restituer. Parfois, je mordais un peu dans l'espace d'Hadrien. Je glissais mon téléphone entre ses deux bras qui entouraient le volant pour prendre un coin du tableau de bord et du pare-brise avec, derrière, la route de goudron gris clair marqué en jaune et, au-delà, des collines, des montagnes, des morceaux de lac, de prés et de ciel. Pendant ce temps, Hadrien chantonnait faux mais avec tout son cœur des refrains d'Elvis ou des Beatles qu'il passait dans l'autoradio. Pour le charrier, je lui disais : « Surmoi ou accès occasionnel de naturel ? » et puis je l'embrassais. Ou c'est lui qui, après avoir attendu que la route se transforme en une ligne suffisamment droite et dégagée pour lâcher des yeux l'horizon pendant deux secondes, se tournait vers moi et m'embrassait. Puis je lui disais : « Suffit Elvis et les Doors. » Je débranchais le jack de l'autoradio relié à son téléphone pour y planter mon iPhone et je lançais *Loveeeeeee*, de Rihanna et Future, ou *Mine*, de Beyoncé et Drake. Et, à mon tour, je me mettais à chanter à tue-tête en pensant : *C'est le bonheur et c'est maintenant.*

Dans une vallée située à une vingtaine de kilomètres au sud de Maruia, en bordure du State Highway 7, il y avait un petit motel-restaurant-spa d'étape qui proposait des bains en eaux sulfureuses naturelles : le Maruia Hot Springs. Après avoir roulé une bonne partie de la journée sans rien avoir avalé ou presque, nous nous sentions fourbus et affamés. Aussi ai-je beaucoup apprécié que, sans trop réfléchir, Hadrien ralentisse, sorte de la nationale, se gare face à la réception du Maruia Hot Springs et déclare que c'est là que nous allions passer la nuit avant de reprendre la route le lendemain matin, dans la meilleure chambre disponible, en s'offrant auparavant tous les soins possibles que proposait l'établissement et en choisissant pour notre dîner les plats les plus copieux de la carte. À cet instant, je ne concevais rien de plus rassurant et de plus confortable qu'un homme qui sache, de la sorte, prendre les bonnes décisions au bon moment. Tout l'inverse d'un Jean-Philippe qui, lors de nos vacances en Galice, passait chaque jour deux heures à comparer sur internet les prix des hôtels pour finir par dégotter de bruyants low cost en zone industrielle, à cinq kilomètres du restaurant ou du supermarché le plus proche.

La grâce (ou la chance) se confondant à l'aura naturelle des hommes comme Hadrien, il restait une *Mountain room* libre en bordure de forêt malgré les pics de fréquentation de la haute saison. La chambre était un peu fanée mais très propre, avec un fauteuil paquebot de velours bleu pâle qui, se détachant sur le papier peint orangé à losanges, faisait immanquablement penser au décor d'un film de Wes Anderson. Nos rires et nos chants dans la voiture avec Hadrien, ce si naturel enchaînement des choses depuis le matin auquel s'ajoutaient la fraîcheur de l'air du soir, le bruit de la brise dans la forêt voisine et le lit king size qui s'étalait devant nous : tout cela m'avait donné une très forte envie de faire l'amour sitôt nos valises déposées dans le placard de la chambre. « Attends », m'a interrompue Hadrien tandis que, venue me coller tout contre lui du côté du minibar, mes doigts avaient entrepris de déboucler sa ceinture. « Attends, on va faire encore mieux. »

Après avoir pris nos maillots de bain dans nos valises, nous avons rejoint en peignoir et en tongs un bâtiment annexe abritant l'une des piscines du domaine. Hadrien avait parié qu'elle serait déserte à cette heure. Mais, à notre arrivée, un autre couple se délassait dans l'eau verte fumante, face à la grande baie vitrée qui donnait sur une petite rivière et sur la montagne, dont on ne distinguait plus que les contours dans le crépuscule. C'était raté pour l'intimité mais le lieu était si reposant, avec ses poutres apparentes et son grand carrelage noir, avec ses alignements de miroirs et de pommes de douche sur un haut mur de pierres rondes, avec ses petits bancs individuels de bois clair pour un rinçage plus confortable au sortir du bassin. Une fois nos peignoirs ôtés, nous avons chuchoté un *bonsoir* au couple et sommes allés nous installer dans l'eau, contre le rebord du bassin opposé à celui sur lequel ils s'étaient adossés, yeux fermés.

Seuls, nous nous serions immédiatement embrassés et sans doute aurions-nous trouvé pour faire l'amour une position suffisamment discrète pour qu'Hadrien se retire rapidement en cas de visite impromptue. Il s'était donc contenté d'enrouler son bras autour de ma taille, de rentrer le bout de ses doigts sous l'élastique de mon bikini et de me caresser la partie supérieure du pubis. J'étais dans tous mes états. Mes tétons s'étaient dressés sous le bonnet de mon soutien-gorge et, malgré l'eau qui me couvrait jusqu'à la poitrine, je sentais que c'était aussi le désir qui mouillait le bas de mon maillot. Je ne savais trop si je déplorais qu'il ne m'ait prise sur le minibar dans la chambre, même en vitesse, ou bien si, au contraire, il avait bien fait d'ajourner mon désir avec cet épisode thermal, afin que nous nous retrouvions plus tard avec davantage d'impatience encore. En regardant le couple d'en face, je me faisais la remarque qu'à leurs yeux, nous en formions un aussi, avec Hadrien, de couple. Et cela augmentait encore mon désir pour lui.

À s'efforcer de nous faire face sans que nos regards se croisent, nous avons fini par échanger quelques mots par-dessus le bassin avec l'autre couple. La trentaine, ils étaient catalans mais vivaient à Brisbane, en Australie, où le type travaillait dans l'aménagement de parcs naturels. Elle était ostéopathe de formation et attendait le feu vert définitif de l'immigration pour ouvrir son propre espace médical. Comme la conversation se développait, nous nous sommes déplacés de part et d'autre de quelques mètres pour nous rapprocher. Fabrizia avait un charme tonique. J'aimais sa frange coupée droit au ras des sourcils et le reste de ses longs cheveux très sombres qui tombaient raides jusqu'à la pointe des seins, que recouvrait un haut blanc de maillot très étroit. Elle avait un nez aquilin assez prononcé mais un sourire magnifique qui faisait danser tout son visage. Ivan était plus banal, avec sa peau épaisse et son teint sanguin, son front immense, ses gros yeux clairs qui manquaient de panache et un menton trop court. C'était le type même de *non-menton* qui exigeait la présence d'une barbe pour se fondre dans la masse. Pourtant loin d'être glabre, Ivan se rasait de très près. Va comprendre.

Je n'avais pas besoin d'épier Hadrien pour ressentir que la présence de Fabrizia le perturbait. Mais je sentais aussi que, en garçon délicat soucieux de me rassurer, il s'efforçait de refréner l'intensité des regards et des sourires qu'elle pouvait lui inspirer. Il s'est particulièrement trahi au moment où, précédant Ivan, elle s'est levée pour sortir du bassin. Elle était très bien faite et, de toute évidence, le savait. Alors que je détaillais ses chevilles fines, le joli fuselé de ses cuisses et de ses fesses que j'aurais imaginées moins proéminentes et moins rondes, Hadrien a baissé les yeux en feignant le plus grand désintérêt pour le spectacle, comme s'il se savait surveillé. J'ai repensé à ces phrases qu'il avait prononcées dans des contextes différents, mais qui s'appliquaient également très bien à l'instant présent : *S'abstenir, n'est-ce pas déjà quelque chose ?* Et aussi : *Ça ne me rend pas plus noble ni plus méritant sur un plan strictement moral.*

Mon excitation était retombée d'un coup. Je lui en voulais, mais sans avoir vraiment le droit de lui en vouloir. Ou, plus précisément, je m'en voulais de lui en vouloir sans avoir le droit de lui en vouloir. Nous étions ensemble mais sans qu'il n'ait, comme on dit, *d'yeux que pour moi.* Ou, plutôt, se contraignait-il à n'avoir d'yeux que pour moi. Comment reprocher à la personne que tu aimes de manquer d'innocence lorsque c'est, précisément, de sa clairvoyance que tu es tombée amoureuse ?

Fabrizia a traversé la pièce pour se rendre au vestiaire. À chacun de ses pas, les gouttes d'eau s'écoulant de son corps avaient formé de petites flaques sur les larges plaques de grès noir. À son retour, elle portait deux béquilles d'aluminium qu'elle a posées par terre avant d'attraper solidement Ivan par le bras. S'y cramponnant, celui-ci s'est péniblement extirpé de l'eau avant que Fabrizia ne ramasse les béquilles et ne les lui tende. Un strapping étanche entourait sa cheville. Résultat, a-t-il précisé sans que nous le lui demandions, d'une grosse entorse qu'il s'était faite en jouant au foot à Brisbane, le dimanche précédant leur départ pour la Nouvelle-Zélande. Je ne sais trop pourquoi j'ai dit oui tout de suite, sans même consulter Hadrien, lorsque Fabrizia nous a proposé de les rejoindre plus tard pour le dîner. Sans doute pour achever de confronter Hadrien à ses hypothétiques contradictions. L'amour nous rend pervers à nos propres dépens.

À vingt heures, douchés, parfumés et habillés de vêtements repassés avec le fer mis à disposition dans la chambre, on rejoignait Fabrizia et Ivan au bar du Maruia Hot Springs. Avec le feu de cheminée dans la salle, il faisait bon. Nos cocktails étaient légers et le brouhaha des conversations des autres clients berçait nos oreilles. Malgré son pied invalide et ses béquilles, Ivan vêtu se révélait plus beau et plus expressif qu'en maillot de bain affalé dans le bassin. Comme lui et Fabrizia étaient l'un et l'autre assez peu curieux de tout ce qui ne les concernait pas directement, Hadrien et moi leur posions des questions à tour de rôle et leur laissions chaque fois tout le temps d'y répondre. Cela nous reposait d'avoir nous-mêmes à les fournir en vains détails sur nos propres vies, tout en confirmant notre complicité dans cette subtile manipulation. Le constatant ainsi ligué avec moi tout en douceur contre Fabrizia, mon désir pour Hadrien revenait au galop. Il était séduisant, avec son sweat ajusté à col en V qu'il portait à même sa peau bronzée.

À vingt heures trente, nous sommes tous les quatre passés à table, côté restaurant. Le menu proposait des *Curried zucchini fritters with mint yoghurt*, du *Hot smoked salmon (thyme roasted nadines, horseradish ice cream and citrus mesclun salad)*, des *Baked Tarakihi Fillets (chargrilled asparagus, pumpkin mash and watercress salad)*, ainsi qu'un plus classique *Kiwi steak & chips (Prime Canterbury fillet, smoked tomato, kumara fries and sticky onion chutney)*. Fabrizia a insisté pour que nous commandions, à leurs frais, du champagne. *It's on us*. Au terme du repas, profitant d'une pause pipi d'Ivan parti en boitant, sans ses béquilles, Fabrizia nous a confié sans le moindre embarras qu'elle nous trouvait très attirants, Hadrien et moi, et qu'avec Ivan, ils avaient eu envie de savoir dans le bain thermal si nous avions déjà tenté ensemble des expériences échangistes (*partner-swapping* en anglais). Si nous l'acceptions, il s'agirait surtout qu'Ivan l'observe elle, Fabrizia, se joindre à nous. Car Ivan aimait regarder sa femme se faire entreprendre par d'autres couples, c'était aussi simple que ça. Elle ne nous cachait pas que la configuration interraciale pimenterait l'affaire. *That would really spice it up*. Elle en a profité pour me dire, tout en caressant le dos de ma main d'un index compatissant de bonne copine, qu'elle espérait que je ne prenais pas mal ce qu'elle venait de dire. Car, a-t-elle souri sans se départir de son extraordinaire aplomb, « dans le sexe, il n'y a plus de racisme. Juste des corps de toutes les couleurs qui se veulent du bien ».

Tandis qu'elle me demandait si mes cheveux

étaient naturels, Ivan, avec un sens du timing un peu trop opportun, est revenu des toilettes. Il s'est rassis à table armé d'un sourire bizarre que nous ne lui connaissions pas jusqu'ici, quelque chose qui s'apparentait à une béatitude goulue. Leur numéro était bien rodé. Manifestement habituée à formuler ce type de proposition à des inconnus inexpérimentés, Fabrizia avait entre-temps replongé ses jolies lèvres dans sa flûte de champagne avec naturel, en attendant calmement une réaction de notre part. Paralysée par l'effet de surprise, mal à l'aise, incapable de répondre quoi que ce soit, je comptais sur Hadrien pour prendre la parole en nos deux noms. Mais il avait l'air tout aussi embarrassé que moi et semblait lui aussi espérer un signe de ma part avant de se prononcer. C'était la première fois que je le sentais à court de cette confiance et de cet esprit de décision qui me plaisaient tant chez lui. Je me suis demandé si nous étions, l'un comme l'autre, trop froussards pour montrer à l'autre que la proposition de Fabrizia nous choquait. Si nous ne cherchions pas, à travers nos hésitations respectives, à nous prouver l'un l'autre que nous n'étions pas des gens *coincés*, mais tout en ne voulant pas non plus commettre un faux pas qui pourrait s'avérer fatal à notre couple en l'acceptant.

Après avoir différé sa réponse d'un nouveau rire conjuratoire qui ne le grandissait pas, Hadrien, qui avait dû se rendre compte qu'il avait trop tardé à réagir, a fini par dire à Fabrizia que nous n'étions pas intéressés. Ce soir-là, trop poli et trop respectueux l'un de l'autre pour nous reprocher ouvertement quoi que ce soit, nous nous sommes endormis, comme chaque soir depuis notre départ, enlacés. Mais, pour la première fois, sans faire l'amour.

Christchurch était la capitale de l'île du Sud. C'est là qu'en février 2011, un tremblement de terre avait tué près de deux cents personnes et détruit la moitié des buildings du centre-ville. Je me souvenais, en effet, vaguement d'images de cathédrale effondrée, d'éboulements, de routes coupées en deux, d'inondations et de ciel gris dans les journaux télévisés, sans avoir pu me douter un instant à l'époque que j'y viendrais un jour, dans cette ville. La Nouvelle-Zélande, cela m'apparaissait alors aussi abstrait que l'Himalaya : un lieu dont tout le monde a entendu parler, mais où personne de ta connaissance ne s'est jamais rendu. Nous y sommes entrés vers treize heures par de très larges et de très longues avenues toutes droites, très américaines, avec de grandes perches métalliques de feux rouges qui surplombaient la chaussée et, des deux côtés, des kilomètres de magasins rectangulaires de brique ou de tôle peinte qui ressemblaient tous à des entrepôts. Je ne m'attendais pas à une ville aussi aérée et aussi plate. Le centre était un vaste chantier de reconstruction à ciel ouvert, peuplé de toutes ces choses un peu techniques auxquelles je mettais un nom depuis mon année d'intérim au service Chantiers de voirie de la Mairie de Paris : grues, grillages de protection, clôtures en bois, plots coniques de délimitation, bandes de signalisation jaunes ou orange fluo et ouvriers casqués qui circulaient au milieu d'engins d'excavation, de bétonnières, de poutres de métal neuves, de paquets géants de matériaux d'isolation emballés et d'empilements de vitres. L'ambiance incitait de toute évidence à la créativité artistique. D'immenses fresques décoraient les pans de murs orphelins, et des conteneurs de transport maritime aménagés faisaient office de boutiques et de cafés. J'étais fascinée. Je regardais le spectacle de la ville par la vitre ouverte de la voiture et, me sentant inspirée par tout ce déploiement de matière, j'ai prié Hadrien d'arriver vite à l'hôtel pour tranquillement revenir à pied prendre des photos.

À peine la Subaru garée et nos affaires déposées dans une chambre sans fenêtres qui me faisait penser à une capsule spatiale japonaise pop, avec ses multiples boutons de commande, ses portes coulissantes rondes, ses miroirs et ses éclairages changeants qui passaient du bleu au rose puis au vert, nous nous sommes retrouvés Hadrien et moi en bas de l'hôtel, sur le trottoir, à l'angle de Cashel et de Manchester Street, avec cette sensation particulière que te procure une liberté dont tu ne sais trop quoi faire. J'aimais ces immeubles isolés qui venaient donner encore plus d'ampleur à l'immensité de cette plaine qui rappelait le calme du champ de bataille après le combat dans les films. L'été ressemblait à un véritable été, avec son ciel et ses arbres au meilleur de leur forme dans les branches desquels des oiseaux piaillaient gaiement. De la musique s'échappait des fenêtres des voitures qui passaient. Mais on sentait bien que ces rues ne tentaient de se saturer de douceur et de couleurs que pour faire oublier une tragédie encore très présente. Une autre ville naissait en direct sous nos yeux. On reprenait tout à zéro, ici. Et demain, d'ici trois, quatre, peut-être cinq ans à tout casser, le cœur d'un tissu urbain tout neuf recommencerait à battre sans que l'on n'ait rien oublié du passé. *We shall never surrender*, j'ai pensé.

Pourquoi est-ce toujours en Occident que ces choses-là arrivent ? Qu'est-ce qui va si mal dans la tête des gens en Afrique pour qu'une ruine y demeure éternellement une ruine, une chaussée impraticable une chaussée impraticable, et un réseau électrique défaillant un réseau électrique défaillant ? Pour que la mémoire des drames s'efface si vite, sans que rien ne vienne la remplacer ? Pourtant, repartir de zéro, cela ne fait peur à personne, là-bas. La résilience, on connaît, et sans en faire tout un steak. Alors, pourquoi ? J'ai fait signe à Hadrien de s'arrêter, le temps de sortir mon iPhone et de prendre un carré roussi de pelouse sur lequel on avait entreposé des gravats. *L'herbe repousse toujours plus vite chez les autres*, j'ai écrit en légende.

Il y avait quelques touristes asiatiques dans le centre historique. À dix mètres à peine des préfabriqués réservés aux ingénieurs et chefs de travaux des chantiers environnants, ils brandissaient leurs perches à selfies pour poser devant le dos en miettes de la cathédrale, le *Chalice* ou la statue de John Robert Goldley (aucune idée de qui ça pouvait bien être). Les expos commémoratives en plein air côtoyaient les canalisations neuves en PVC et les faisceaux de fers à béton. Côté rue, les véhicules ralentissaient pour laisser serpenter lentement le tramway entre les bâtiments historiques les plus solides ayant été épargnés par le séisme. Tout semblait fonctionner malgré l'insolite cohabitation des genres et les déplacements contradictoires des machines et des hommes. Il ne faisait aucun doute, dans un pays à l'indice de développement aussi élevé, que l'homme savait ce qu'il faisait et qu'on pensait avant tout à la sécurité de ses concitoyens. C'est pourquoi nul n'aurait pu concevoir que le tram, une fois reparti, cachait une voiture lorsque nous avons voulu traverser. La femme qui me précédait sur le passage piéton l'aurait très certainement prise de plein fouet dans la hanche si je ne l'avais retenue puis tirée par le bras au dernier moment, moi qui ne pensais pas avoir de bons réflexes. La voiture ne roulait peut-être pas assez vite pour la tuer, mais il ne fait aucun doute qu'elle lui aurait fait très mal. Plusieurs personnes parmi le petit groupe de piétons qui s'apprêtaient aussi à traverser ont d'ailleurs poussé des cris d'indignation en direction de la voiture, laquelle a continué sa route puis a disparu au bloc suivant, comme si de rien n'était. La femme que j'avais retenue par le bras ne semblait pas elle-même s'en émouvoir plus que cela. « Wow, je l'ai échappé belle, merci ! » elle m'a dit, comme si on venait de lui faire une bonne blague. *I had a narrow escape.* « Vous rendez-vous compte que vous auriez pu mourir ? » lui a demandé Hadrien qui, également sous le coup de l'émotion, trouvait presque désobligeant tant de décontraction. Pendant ce temps, les quelques touristes qui avaient assisté à la scène s'engageaient sur le passage clouté en me lançant des regards reconnaissants. Une petite dame à bob blanc et masque d'hygiène m'a même adressé de loin un bravo silencieux. Est-ce uniquement lorsque la vie de l'un d'entre nous est en jeu que nous révélons notre part d'humanité ? me suis-je demandé.

« Je me rends surtout compte qu'il faut vraiment qu'on fasse quelque chose à ce passage piéton », a dit la dame à Hadrien d'un air cette fois beaucoup plus concerné. « On a déjà eu suffisamment d'accidents exactement à cet endroit. » Vive, la petite soixantaine, elle était robuste et avait les cheveux décolorés coiffés en pétard modéré, dans un style assez connoté années 1980. Ses yeux avaient une lueur de détermination rare, presque cruelle. Elle illustrait surtout l'idée que l'on peut se faire d'une descendante locale de pionniers britanniques ou irlandais du

XIXe siècle, dont elle aurait hérité de la résistance aux intempéries ainsi que d'un courage à toute épreuve. Avant de nous quitter, elle m'a de nouveau remerciée et a tenu à savoir qui nous étions tous les deux, avec Hadrien, d'où nous venions et où nous nous rendions, sur le ton poli mais ferme de quelqu'un qui a l'habitude d'obtenir ce qu'il désire. En apprenant que notre prochaine étape serait Queenstown, elle a également tenu à recueillir mon prénom ainsi que le nom de notre hôtel pour me faire parvenir, d'ici notre départ, le DVD d'une série policière tournée dans la région et qui serait, a-t-elle précisé, un complément touristique indispensable à notre découverte de l'île du Sud.

Lorsque dans la soirée nous avons regagné l'hôtel, il y avait une nuance de déférence dans le regard de la réceptionniste. « Great move », elle a commenté sur mon passage avec admiration. Pour lui signifier que je ne voyais pas à quoi elle faisait allusion, je l'ai regardée en fronçant les sourcils et en secouant légèrement la tête. « Ah, ce n'est pas vous ? » elle a hésité. « Ce n'est pas moi quoi ? » Elle a saisi le bord de l'écran de son ordinateur et l'a fait pivoter vers moi. En quelques touches, elle a accédé à une vidéo réalisée au téléphone portable et mise en ligne sur le site du journal *The Press*. « Cette personne, ce n'est pas vous ? »

Sous le titre *MP Wagner Saved from Fatal Car Accident by French Tourist in Christchurch*, on m'y reconnaissait très nettement, de profil, en train de m'élancer pour attraper le bras de la dame aux cheveux en pétard sur ce passage clouté du quartier de la cathédrale. Je ne m'étais pas douté que mon geste était à ce point spectaculaire. J'avais littéralement *bondi* en avant, laissant Hadrien un bon mètre cinquante derrière moi sur le passage piéton. Une seconde version de la scène, plus longue et filmée cette fois en plongée par une caméra municipale de surveillance, montrait bien la trajectoire de la voiture, masquée par le tram, qui coïncidait parfaitement avec celle de la dame en train de traverser avant que je n'intervienne. Curieuse sensation de dédoublement, presque de désincarnation, que de se voir sujet principal d'une vidéo rendue publique par voie de presse.

« MP », a dit Hadrien tout aussi stupéfait que moi malgré son rapport tellement plus naturel à l'image et aux médias. « *MP,* ça veut dire *Member of Parliament*. Cette madame Wagner est une députée. »

Tu ne peux comprendre quelle accélération et quelle intensification soudaines de ta vie te réserve le statut de célébrité éclair que si tu en fais toi-même l'expérience, même à une échelle aussi dérisoire que sauveuse de vie *caught on tape* de députée conservatrice néo-zélandaise. La vidéo de mon intervention, reprise par le site du *New Zealand Herald* puis, très vite, par ceux de *The Australian*, du *Guardian*, du *Monde* et du

New York Times, passait à présent sur la BBC et sur CNN. Sur YouTube, elle comptait déjà plus de 100 000 vues. La séquence durait moins de dix secondes, mais elle repassait en introduction de chaque nouveau journal. Sur le site de *The Press*, un touriste coréen expliquait qu'il avait capté la séquence par hasard, alors qu'il filmait la place de la Cathédrale depuis l'arrêt du tram. Quant à la députée Wagner, c'est par un tweet qu'elle avait souhaité s'exprimer : *A guardian angel was watching over me today. She's a young woman, French and very friendly ! Thank you for life mademoiselle !* Pour ma part, le site me désignait toujours sous le nom de *French Tourist*, et je ne savais si je devais en concevoir du soulagement ou de la frustration.

Sans que j'aie la moindre idée de la façon dont on avait réussi, en si peu de temps, à se procurer le nom de notre hôtel, le téléphone avait sonné à plusieurs reprises dans la chambre. Une première fois, la réceptionniste m'avait demandé l'autorisation de révéler mon nom à plusieurs journalistes locaux et de la presse nationale qui le lui avaient demandé. « Non », j'ai dit instinctivement, « mon prénom je veux bien, mais pas mon nom ». Connaissant la méfiance congénitale des Camerounais à l'égard des gens en général et des autres Camerounais en particulier (méfiance dont j'avais moi-même hérité), je pensais que ma mère, mes cousines et ma tante n'auraient pas aimé voir le nom de la famille faire ainsi l'objet potentiel de jalousies et de malveillances diverses.

La réceptionniste m'avait également transmis un appel de Nicky Wagner, la députée. Celle-ci, que les proportions prises par l'épisode ne semblaient pas beaucoup perturber, avait le soir même un vol pour Wellington, où elle resterait quarante-huit heures. Elle s'excusait, en conséquence, de ne pouvoir nous inviter à dîner, Hadrien et moi, que trois jours plus tard. « Serez-vous toujours à Christchurch ? » Je me suis tournée vers Hadrien pour lui répéter sa proposition. « Je ne sais pas, a répondu Hadrien. Mais nous pouvons y revenir sans problème pour ce dîner si tu veux. » Avec un sourire indulgent, il a ajouté : « Profite, ça ne durera pas. »

J'ai pensé en frissonnant qu'appliquée à notre relation, à Hadrien et moi, la même phrase m'aurait anéantie. J'ai donc dit un *oui, merci* sans réelle conviction à la députée puis j'ai raccroché. Sur WhatsApp, j'avais vingt-sept nouveaux messages. Cela me faisait bizarre, ce nombre à deux chiffres. Il était huit heures du matin en France et les premiers journaux télévisés de BFMTV et de France 24 venaient à leur tour de diffuser la vidéo sous un titre légèrement différent : *Nouvelle-Zélande : une députée sauvée par une touriste française*. J'étais félicitée par d'ex-collègues de travail qui m'avaient identifiée et dont je n'avais pas eu de nouvelles depuis plusieurs mois, voire depuis plus d'un an. Mathieu, le crêpier de Wellington, m'avait écrit ceci : *À peine tu débarques en NZ que tu embarques le conférencier avec toi et que tu deviens star internationale : trop*

forte Géralde ! Donne des nouvelles, ça ferait plaisir.
Même Pierce, qui m'avait laissé rassembler mes
affaires puis quitter son *cabin* sans m'adresser
le moindre mot, quelques jours plus tôt, s'était
fendu d'un *Congratulations, Geralde* dépourvu
d'accent aigu.

Il y avait quelque chose d'à la fois grisant
et irréel dans cette accumulation soudaine de
manifestations d'intérêt pour moi. Impossible
de résister au gain ou au regain d'attention d'autrui, qu'elle soit opportuniste ou non. Le plus
difficile était de garder à l'esprit que tout cela,
comme me le rappelait Hadrien, ne durerait pas.
Et, surtout, qu'il ne s'agissait que d'un geste,
rien de plus. Encore moins que mes snaps et
mes petites phrases de rien du tout publiées sur
Instagram : juste un bras tendu au bon moment,
et une bonne préhension. Sur Instagram, justement, Fadila et Sabine n'avaient pas encore réagi
à l'événement. Ma mère n'avait pas essayé non
plus de me joindre par Skype. Un peu déçue, j'ai
été tentée pendant un instant de leur faire signe
moi-même. Mais j'ai finalement préféré qu'elles
le découvrent toutes seules, cela ajouterait à leur
surprise. Et puis, il était un peu tard pour de
longues conversations explicatives. Nous avions
faim et, en Nouvelle-Zélande, les restaurants fer-
ment tôt le soir.

Nous traversions la réception de l'hôtel
pour aller dîner quand un type s'est levé de
l'un des canapés du lobby et s'est avancé vers
moi. Journaliste dans la principale radio de la

région de Christchurch, il voulait recueillir mon témoignage sur l'événement. Même dans mon anglais le plus châtié, je n'ai pas pu m'empêcher d'aligner les poncifs : Non, je n'étais pas une héroïne, n'importe qui à ma place aurait fait la même chose que moi. Ce n'était qu'une question de chance et de réflexe. Non, je n'avais jamais entendu parler de Nicky Wagner avant cette drôle de rencontre. Ah si, un détail : si je m'en tenais uniquement à cette expérience, les députés de ce pays me paraissaient beaucoup plus accessibles et *normaux* que ceux de France, où les politiques en général aimaient cultiver un petit côté Louis XIV. Enfin, ce n'était qu'une impression. Comme il n'y avait rien à ajouter, le type a éteint son enregistreur et a proposé à Hadrien de poser avec moi pour une photo destinée à être mise en ligne sur le site internet de la radio.

« Vas-y seule », m'a dit Hadrien en m'encourageant d'un baiser sur la tempe. « C'est ton moment, pas le mien. » J'avais envie de lui dire que ce *moment* aurait été encore plus complet avec lui posant à mes côtés, mais je n'ai pas insisté.

Au restaurant, le serveur n'a fait allusion à la vidéo qu'au moment d'apporter, emballés dans du papier kraft, les deux sandwiches au pain ciabatta que nous avions commandés. « Do you practice martial arts ? » il a glissé tout en déposant l'air de rien notre plateau sur cette table de la section *outdoor* du *Burgers and Beers* où l'air de la nuit était si doux. J'ai ri. J'aimais l'amabilité discrète mais sincère des gens de ce pays, qui semblaient ne pas faire tout un plat des petites comme des grandes choses de la vie. Tout en mastiquant une pincée de frites parfumées à l'huile de truffe, je n'ai pas pu m'empêcher de me connecter au wifi du *Burgers and Beers* pour aller vérifier l'évolution de ma vidéo sur YouTube. On avait franchi à présent les 175 000 vues. Quel autre post dans ma vie pourrait bien me valoir à l'avenir 175 000 vues ? Usurpatrice ou ego gonflable à l'hélium, comme un pur produit de ma génération ? À nouveau, je ne savais quelle place ni quelle valeur attribuer à cette popularité aussi soudaine que virtuelle.

Il y avait des centaines de commentaires qui accompagnaient la vidéo, essentiellement en anglais. Beaucoup étaient prétextes à des digressions de toutes sortes entre internautes. J'ai néanmoins prêté une attention particulière à celui-ci, posté par un Wayne C. depuis la ville d'Alexandria, en Virginie : *There's a name for that kind of hero : the Magical Negro.* Il y a un nom pour ce genre de héros : *le Magical Negro.* « C'est quoi, un *Magical Negro* ? » a demandé Hadrien à qui je tendais mon écran. Je lui ai expliqué que le *Magical Negro* était une figure récurrente du cinéma américain : celle du Noir prêt à se sacrifier pour le Blanc. L'un des exemples les plus célèbres était celui de Sidney Poitier qui, dans *La Chaîne,* n'hésite pas à sauter d'un train de marchandises en marche pour ne pas abandonner en rase campagne Tony Curtis qui n'est pas parvenu, lui, à s'y agripper. Plus récemment, dans *La Ligne verte*, un condamné à mort noir vient, tout au long du film, en aide à ses geôliers blancs racistes. « En général, le Magical Negro meurt à la fin, lorsque le Blanc n'a plus besoin de lui », j'ai ajouté.

Hadrien m'a demandé quel effet cela me faisait, d'être assimilée à une *Magical Negro* par ce Wayne C. qui, si l'on s'en tenait à la photo de son profil, était un Afro-Américain. Je n'ai pas osé lui répondre que ce type, qui ne savait pourtant rien de moi, avait peut-être un peu raison. Je craignais cette fois qu'Hadrien ne me trouve trop compliquée, ou comprenne mal que, bien au-delà de cette anecdote avec la députée, il m'arrivait de me demander moi-même qui j'étais réellement, à ne jamais poser aux Blancs, les questions capillaires mises à part, le moindre problème. La moindre difficulté avec mon accent, avec ma conversation, mon humour, ma curiosité, avec mes références littéraires et cinématographiques, avec mes goûts vestimentaires et culinaires, avec ma façon de travailler. D'avoir à ce point fait mienne leur façon à eux de vivre et de penser qu'ils n'ont jamais à se demander si quelqu'un d'autre cohabite, tout au fond de moi, avec cette Géralde qu'ils croient connaître et qui leur ressemble tant. Une autre moins *Charlie* qu'eux, plus *racaille*, plus *pétasse*, plus *cité*, plus *banlieue* et plus *quartiers* qu'eux. Moins sarcastique, plus méfiante, plus réservée, plus pudique, plus fleur bleue. Qui n'a pas besoin de commenter chaque bon moment d'un *On est bien, là, non ?* Qui ne décrète pas que les vacances sont gâchées parce que le temps est pourri. Qui ne se plaint pas pour des prunes. Qui ne mondanise pas comme elle respire. Qui rit fort avec ses cousines, sait planter ses doigts dans le foufou pour le tremper dans la sauce arachide et passer des heures à regarder des clips de R'n'B sur Trace TV ou des *black movies* sur BET tout en se faisant tresser. Qui se fout au fond que l'Allemagne impose à la France sa façon de voir les choses à Bruxelles, que le pays paye pour son appartenance à la coalition militaire en Syrie ou que l'on ne célèbre pas assez la mémoire de Jean Moulin au collège. Qui s'intéresse à des problèmes mineurs, dépassés, résolus : la *discrimination*, le *plafond de verre*, les contrôles au faciès, les statistiques ethniques. La présence des Noirs à l'Assemblée nationale, sur les plateaux de télévision, dans le cinéma français, dans les quartiers bourgeois des grandes villes de France ou dans un simple wagon de métro. Qui ne pose pas son sac par terre au café, ne se baigne pas là où l'eau n'est pas suffisamment claire et n'a pas toujours envie de faire risette ou de dire bonjour à la dame. Qui veille ses morts. Qui entend un jour se marier à l'église et se faire doter. Qui fera circoncire son fils. Qui ne plaisante ni avec la mort, ni avec le diable, ni avec les sorciers, ni avec les esprits. *J'ai tellement épargné cette Géralde-là aux Blancs*, j'avais envie de dire à Hadrien, *que je ne sais plus parfois si elle existe vraiment. Ou si je ne l'ai pas tuée.*

De retour à l'hôtel, le réceptionniste de nuit nous a remis le coffret des trois DVD promis par Nicky Wagner, laquelle était en personne venue le déposer sur le chemin de l'aéroport. Il s'agissait de la série *Top of the Lake*, de Jane Campion, la réalisatrice de *La Leçon de piano*. *Chère Géralde, merci pour votre bravoure. C'est grâce à vous si je peux toujours me permettre aujourd'hui de retourner dans certains lieux merveilleux où ce film a été tourné*, avait écrit de sa main la députée en accompagnant sa signature de trois smileys joliment imbriqués. Dans la chambre, j'ai à nouveau vérifié le nombre de vues de la vidéo : 225 000. « Ça y est, tu es dans l'addiction au chiffre », a plaisanté Hadrien. C'était vrai. Je ne voulais pas que cesse de croître le nombre de mes *viewers*, même si tout cela ne signifiait rien. J'étais une vidéo parmi les trente autres visionnées au cours de la journée de chacun de ces 225 000 anonymes. « Ne pas descendre du top d'une seule petite marche : tu commences à comprendre le problème des riches », il a ajouté.

Pourquoi tu ne bascules pas la vidéo sur ton Instagram en disant que c'est toi dedans ? me demandait Sabine qui avait fini, elle aussi, par la visionner. *Ça pourrait amener plein de gens à regarder ce que tu fais par ailleurs, non ?* Je lui ai répondu que c'était tentant et que j'allais y réfléchir. Mais c'était déjà tout vu : hors de question de tirer numériquement parti d'un épisode exceptionnel, d'un miracle impersonnel. Mes photos à légende, on y venait de son propre gré ou l'on n'y venait pas.

#*macaillesuperstar* se contentait plus sobrement Fadila, *Faudra que tu me racontes tout*. Elle ajoutait, sur ce ton inquisiteur que je supportais de plus en plus mal, à la frontière de la perfidie : *Dommage qu'on ne voie pas mieux Hadrien sur la vidéo. On ne dirait pas que vous êtes ensemble.* Quant à ma mère, qui avait entre-temps essayé de me joindre par Skype, elle était à présent déconnectée. Je lui ai néanmoins laissé un message vidéo pour lui dire que tout allait très, très bien, que la vie réservait vraiment de drôles de surprises et qu'elle avait eu raison de ne pas me laisser me décourager au moment où je voulais rentrer. Un instant, j'avais été tentée de faire entrer Hadrien dans le champ de ma webcam pour le lui présenter à distance. Mais elle aurait été contrariée par cette façon hâtive de procéder. En quoi elle aurait, une fois de plus, eu raison.

J'ai inséré le premier DVD de *Top of the Lake* dans le lecteur de mon ordinateur portable. Confiant à Hadrien que je n'avais pas effectué un tel geste depuis l'apparition de la vidéo à la demande, il a eu cette réflexion sur laquelle je lui ai promis en riant de méditer plus tard, au moins après une bonne nuit de sommeil : « C'est ça, le progrès : l'Homme se crée sans cesse de nouveaux paliers d'*indispensable périssable*. » Notre chambre spatiale pop était plongée dans une pénombre bleutée lorsque le premier épisode a débuté. La tête calée au creux de l'épaule d'Hadrien dans le lit, je regardais l'écran de l'ordinateur qu'il avait posé sur ses genoux diffuser son incandescence sur son front, son nez, ses lèvres. Pour la première fois, des mots comme *mariage* et *bébé* se frayaient un passage dans le flux ininterrompu de mes sensations. Je ne me souvenais pas avoir été un jour plus heureuse qu'à cet instant.

L'intrigue policière de *Top of the Lake* m'importait peu, au fond. J'étais bien davantage aimantée par le climat étrange créé par Jane Campion. Manifestement réalisées en hiver, les images donnaient à la région de Queenstown une splendeur fantomatique, avec cette brume et cette grisaille perpétuellement en suspension au-dessus du lac immense et ces forêts aux arbres venus d'ailleurs. Mes scènes préférées étaient celles tournées au bord d'un lac secondaire, beaucoup plus petit. Dans la série, ce lieu s'appelait *Paradise*. Une communauté de femmes blessées par la vie, c'est-à-dire déçues par les hommes, s'était formée sous la houlette d'une gourou jouée par Holly Hunter, l'héroïne muette de *La Leçon de piano*. Leur campement consistait en cinq ou six conteneurs de différentes couleurs joliment disposés au milieu d'un vaste champ aux herbes jaune vif s'étendant jusqu'à l'eau. C'était beau, visuel, inoubliable, c'était du cinéma. « Après-demain, on va là », m'a chuchoté Hadrien en pointant l'écran. Répondant une fois de plus à mon désir avant que je ne me le formule à moi-même, il souriait à ce qui était déjà devenu un hymne refrain entre nous : *On va là.*

Paradise, j'ai pensé en me souvenant que c'était également le titre de mon roman préféré de Toni Morrison. *Paradise, on va là.*

Nous sommes arrivés à Queenstown après une nuit passée à mi-parcours au lac Tekapo, où la propriétaire suisse-allemande d'une pension chic, me reconnaissant, nous a accordé au prix d'une chambre classique une *deluxe* tout juste libérée à la suite du désistement par téléphone d'un client russe. Elle a ensuite un peu gâché les choses, après m'avoir demandé si mes cheveux étaient de *vrais* cheveux, en se mettant à les tripoter sans prévenir d'un air suspicieux. J'ai vivement rejeté ma tête en arrière pour lui signifier de retirer ses doigts sur-le-champ. J'ai bien senti alors à son petit regard outragé qu'elle regrettait son geste commercial à notre égard, mais il était trop tard. Elle n'a rien dit et nous avons rejoint tranquillement notre chambre avec Hadrien. Bien plus tôt dans la matinée, à une bonne centaine de kilomètres de Christchurch, nous nous étions arrêtés pour faire le plein dans une ville qui s'appelait Geraldine. Étant resté sur le parking pour passer un coup de fil à ses contacts en Turquie pendant que j'achetais eau minérale, yaourt à boire et fruits secs dans la supérette de la station-service, Hadrien en avait profité pour m'adresser un SMS : *Heureux comme avec Géralde à Geraldine.* En remontant dans la voiture, il m'a dit qu'il venait de vérifier sur internet : le prénom Géralde n'avait été attribué que 123 fois en France depuis 1900. « Et puis pourquoi est-ce Géraldine, le féminin de Gérald, et pas Géralde ? », a-t-il ajouté en s'imaginant sans doute que j'étais mieux placée que quiconque pour répondre à cette question.

J'avais également été reconnue par les employés du Bungy du Karawau Bridge, vingt-cinq kilomètres avant Queenstown. « On va là ? » m'avait proposé Hadrien, excité comme un gamin au moment où nous passions en voiture devant l'enseigne et qu'il réalisait qu'il s'agissait d'une plate-forme de saut à l'élastique. « On saute ? » Le saut à l'élastique, comme le wingsuit, l'escalade ou le high-line, n'importe quel Noir te dira que c'est un truc inventé par des Blancs et pour les Blancs. Le risque pour le risque, non merci, la vie te réserve suffisamment de galères et d'occasions de mourir comme ça pour ne pas t'en créer tout seul de nouvelles, c'est ce qu'ils te répondront à peu près tous. Mais, une fois de plus, je constatais que l'idée de déplaire à Hadrien ou de le décevoir dégonflait tous mes principes. En outre, j'aimais attribuer à ce *On saute*, comme à son *On va là*, une portée symbolique à laquelle sans doute il pensait lui aussi : pas de place pour la demi-mesure ou le calcul entre nous. On se lance, point final.

Pas mal de touristes ayant déjà réservé sur internet leur créneau horaire de passage attendaient sur place. Mais, identifiant tout de suite que j'étais l'héroïne de la journée de la veille (*The Heroine of the (yester)Day*), les jeunes types du comptoir d'accueil ont réussi à nous caser un saut en tandem entre deux clients en récompense de mon *fier service rendu à la Nouvelle-Zélande*. Ils ont juste précisé en rigolant que j'aurais pu choisir un MP issu du Labour ou du Green Party à sauver plutôt qu'un conservateur, mais bon, ils voulaient bien se montrer indulgents pour cette fois. J'ai eu droit à une remarque un peu similaire de la part des trois garçons qui, sur le pont, étaient chargés de peser, d'équiper puis d'assister les *jumpers* jusqu'au bord de la plate-forme de saut. Ils devaient avoir vingt-cinq ans maximum et je les trouvais beaux, avec leur bronzage, leurs biceps jaillissant de leur débardeur, leur équipement plein de mousquetons et leur décontraction que rien ne semblait pouvoir ébranler. L'espace d'une demi-seconde, Hadrien m'a paru un peu vieillissant en comparaison. Mais aucun de ces types, me suis-je dit, aucun de ces types, une fois ôtées leurs lunettes de soleil, ne saurait me faire partager ou ressentir le centième de ce qu'Hadrien me donne.

Attachés ensemble par les pieds sur le rebord d'un petit promontoire de bois, à 43 mètres au-dessus de la rivière qui paraissait turquoise au soleil, c'est Hadrien que, en proie à un vertige imprévu, je sentais plus réticent et plus fébrile que moi au moment de se lancer. Devant nous, rien qu'une immensité intacte de montagnes et de ciel. T'élancer de si haut, c'est ressentir d'abord combien l'air est puissant comparé au poids de ton corps. Tu te jettes dans le vide et un souffle assourdissant s'engouffre dans ta tête, dans tes yeux et dans ta bouche pour ne plus laisser place à rien d'autre que ce sentiment que tu as d'être aspirée par la terre. Nous avons réussi à rester enlacés jusqu'au premier *airtime*, ce moment où l'élastique, arrivé à son point de détente maximal, nous propulse en se recontractant en sens inverse de notre trajectoire, vers le pont, tout en haut. Désolidarisés par le choc de l'*airtime*, tête en bas, c'est Hadrien qui a lâché prise le premier. Nous avons ri en tentant de nous réagripper l'un à l'autre au gré des rebonds suivants.

Puis Queenstown, donc, en milieu d'après-midi. Une fois à l'intérieur de la ville, je cherchais à identifier au détour de chaque rue un décor de *Top of the Lake*. Enjôlés par le charme subtil de la série, nous en avions la veille regardé quatre épisodes d'une traite jusqu'à deux heures et demie du matin avec Hadrien. Queenstown en saison estivale n'avait plus grand-chose en commun avec l'atmosphère humide, froide et gris perle du film. Touristes, parasols, ski nautique, bateaux de plaisance, navettes fluviales, bars et restaurants en terrasse : on pouvait se croire au bord du lac Léman au mois de juillet. Mais, là encore, *en mieux*. Toujours cette perpétuelle magie de la lumière, des contrastes et de la concentration impeccable de beauté. Dans une rue piétonne du centre, j'ai cru reconnaître le café dans lequel Elisabeth Moss va prendre son mug de thé brûlant tous les matins au cours de l'enquête. J'en ai profité pour me connecter et vérifier où en était la vidéo sur YouTube : on avait dépassé les 380 000 vues. Cela n'avait plus de sens et finirait bien par s'arrêter un jour. Ma mère, qui n'était toujours pas joignable par WhatsApp, avait tenté elle aussi d'enregistrer un message vidéo sur Skype. Ne laissant que trois secondes d'images où elle apparaissait, le front plissé, en train de balayer son écran du regard tout en se demandant à voix haute si la case sur laquelle elle était en train de cliquer était la bonne, elle avait fini par se résoudre à m'écrire un mot, avec cette trompeuse sobriété que n'expliquait que sa difficulté à se servir d'un ordinateur et qui rendait le résultat toujours touchant, presque naïf : *Je suis fière de toi ma fille. Gros bisous. Ta maman.* Alain aussi avait réagi : *Je viens de te voir à la télé, franchmt je suis sur le Q. Et Toujours aussi belle à ce que j vois. Toujours pas d date de retour en France ?*

Nous avons consacré le reste de la journée à regarder sur mon ordinateur, depuis la terrasse panoramique de notre hôtel, les quatre épisodes de *Top of the Lake* qui clôturaient la première saison. C'est aussi cela que j'aimais chez Hadrien : avec lui, pas besoin de *rentabiliser* à tout prix la découverte d'un nouveau lieu en attaquant l'inventaire des visites recommandées par le Lonely Planet comme on s'acquitte d'une liste de courses de première nécessité à l'hypermarché. *On ne perd pas son temps à le prendre*, j'ai même noté dans mon téléphone, mais en me demandant si ma phrase n'avait pas la fadeur et la vulgarité d'un mauvais aphorisme. À la fin du dernier épisode, nous avons très attentivement regardé le générique. On tenait enfin un nom réel pour Paradise : Moke Lake.

Nous nous y sommes rendus le lendemain, après une matinée de caresses au lit et un petit déjeuner tardif pris sur un ponton au son de l'eau qui venait clapoter contre les rondins. Au bout d'un quart d'heure de route le long du lac Wakatipu, Hadrien a emprunté l'étroite Moke Lake Road qui grimpait raide dans la montagne. Au sommet, le goudron se transformait en un chemin de terre qui ondulait sur quelques kilomètres supplémentaires au milieu des moutons et des pâturages ensoleillés, jusqu'au lac. En apercevant ce grand champ jaune où les femmes de la série viennent trouver un peu de répit à leurs malheurs, en apercevant *Paradise*, j'ai éprouvé la sensation que peut te procurer le fait de rencontrer un grand acteur *en vrai*, lorsque tu n'es plus à même de démêler la projection sur grand écran de son image de sa réalité d'homme de chair et d'os. Ou plutôt, lorsque tu choisis tout de suite de t'en remettre au cinéma plutôt qu'à la réalité afin de prolonger l'illusion.

Hormis quelques maisons de bois, deux ou trois tentes de camping et un mobile home, il n'y avait pas grand-chose ni grand monde à Moke Lake. Je retrouvais *Paradise* exceptionnellement fidèle au film, isolé et serein, avec juste le son du vent qui rebondissait d'un versant à l'autre dans ce théâtre colossal de montagnes. Après quelques minutes passées à tenter de reconstituer dans l'espace l'emplacement des conteneurs et les déplacements des acteurs, nous avons récupéré le sac à cordon d'Hadrien sur la banquette arrière de la Subaru, puis entamé notre promenade sur le sentier qui épousait les contours du lac. À trois reprises, nous avons croisé d'autres randonneurs, puis plus personne.

Installés depuis une bonne demi-heure sur un grand rocher plat qui cuisait au soleil, nous dégustions des pêches, des cerises et des abricots d'aspect très prometteur mais insuffisamment sucrés, comme artificiels. Hadrien évoquait son vol de dimanche pour Istanbul avec escale à Hong Kong. Impossible de ne pas s'assombrir à l'évocation, nécessairement prosaïque, de la fin de telles vacances. Impossible, surtout, d'envisager la suite sans lui. « Donc on fait quoi ? » je l'ai interrompu en rajustant mon pagne sur ma tête pour maintenir mon visage à l'ombre. Je m'étais adressée à lui exactement sur le même ton qu'après notre premier baiser au musée : cette insolence que seul permet un romantisme pur, qui ne saurait se contenter de faux-fuyants ou d'approximations. Il s'est levé pour aller rincer dans l'eau ses doigts trempés de jus de pêche. « Donc on se revoit, non ? » il m'a dit sans se retourner, en profitant de sa main mouillée et fraîche pour s'humecter la nuque.

J'étais tentée de lui dire que je trouvais sa réponse bien en deçà de ce que nous méritions, lui et moi. Mais supposant qu'il attendait l'instant propice pour me proposer quelque chose de plus concret, je me suis abstenue. Tout en l'observant ôter ses vêtements pour enfiler son maillot, je me demandais à quel moment de l'amour fou il devenait raisonnable de demander à l'autre de se prononcer sur la vraie nature de son engagement. Il était nu. La zone de peau comprise entre son bassin et sa cuisse était d'une pâleur qui contrastait radicalement avec le hâle du reste de son corps. C'était la première fois que cela me sautait aux yeux de la sorte. « Et si tu allais te baigner comme ça, au naturel ? » je lui ai suggéré en surjouant un regard plein d'appétit. J'avais plutôt envie de lui dire : « Et si tu restais discuter avec moi sur ce rocher de ce que tu as envisagé pour nous deux plutôt que d'aller te baigner ? » Il a ri, a abandonné son slip de bain sur le rocher et a mis les deux pieds dans le lac. Sans plus rien pour soutenir ses fesses, celles-ci tremblotaient par en dessous, comme deux petits flans aux œufs tandis qu'il s'enfonçait dans l'eau froide. *S.O.S. thermique*, j'ai pensé, en me disant qu'il allait nécessairement avoir envie d'uriner lorsque le niveau de l'eau aurait dépassé celui de son sexe. Je réalisais aussi que, de la même façon que j'étais venue en Nouvelle-Zélande pour retrouver un homme, j'en repartirais afin d'en suivre un autre. *Flamme libérée* : ce sont les mots qui me trottaient dans la tête alors qu'Hadrien, que désormais recouvrait entièrement l'eau du lac, venait d'entamer un crawl.

Il est revenu au rocher très rapidement, en se plaignant dans de grands gestes que son cou venait d'*érafler une encablure*. « Tu t'es égratigné le cou contre un câble, c'est ça ? » j'ai reformulé en attrapant l'une des deux serviettes enroulées au fond de son sac. « Non, j'ai éraflé une encablure », s'est-il obstiné pendant que j'examinais son cou pourtant intact. J'ai étalé la serviette sur ses épaules malgré ses yeux affolés et ses bras qu'il continuait d'agiter dans tous les sens. Il a marmonné pendant quelques instants encore puis il s'est calmé d'un coup. « Il faut que je m'*agonne* » : c'est tout ce qu'il a réussi à articuler avant de se raidir puis de s'écrouler brutalement sur le rocher dans un bruit mat de peau. Plus aucun mot ne sortait de sa bouche malgré ses lèvres qui continuaient à former des syllabes. À la surface de la pierre, ses yeux hébétés fixaient un point indéterminable.

Je n'avais cessé d'appréhender un instant comme celui-ci depuis l'envoi par Fadila de l'interview de *Paris-Match*. À cause d'un effort de trop, d'un coup de soleil, de tout et n'importe quoi, à tout moment. Mais sans penser sérieusement que cela arriverait. Avec ses douze ans de plus que moi, avec cette confiance en lui, avec son expérience des voyages et de la vie en général, il me semblait inconcevable qu'Hadrien n'ait pas *tout prévu*, exactement comme un enfant considère d'instinct comme acquis que les adultes auront *tout prévu* en cas de pépin. Avec Hadrien qui était en train de rendre l'âme à côté de moi, nu, démuni, si loin de tout et de tous, au pied de ces montagnes énormes et au bord de ce lac si calme, je me sentais à présent tout aussi impuissante qu'une petite fille de huit ans encore certaine qu'un adulte finira bien par intervenir pour mettre un terme au monde en train de s'effondrer tout autour d'elle. Comme ma mère qui, le soir, chaque fois que mon père refermait la porte de ma chambre de la rue des Favorites sans m'avoir prise dans ses bras, revenait elle-même me câliner un *Bonne nuit* digne de ce nom.

J'ai inspiré profondément pour dompter mon cœur battant qui avait fini par prendre toute la place dans mon corps et j'ai attrapé mon téléphone, lequel n'affichait pas la moindre barre de signal. Il y avait également celui d'Hadrien au fond du sac. J'ai activé cet écran qui m'était à la fois tellement étranger et si intime d'un glissement de l'index. La page qui est apparue immédiatement était celle d'une conversation en cours sur WhatsApp avec, au centre, la petite photo d'une plage méditerranéenne encaissée au pied d'une calanque. Je n'aurais jamais songé à m'attarder sur cette photo si elle n'avait été accompagnée de la légende suivante : *Lundi, on va là (Kelebekler Vadisi, à Fethiye).*

C'est ce *On va là* qui m'a fait d'abord stupidement imaginer que ce message m'était destiné. Mais *lundi* ne correspondait à rien de ce que nous étions convenus avec Hadrien (Nous n'étions convenus de rien du tout, d'ailleurs). Ni cette plage, Kelebekler Vadisi. Ni, surtout, cette page WhatsApp qui n'était pas la mienne. Ni le nom associé au visage de cette jolie brune en médaillon, dans la partie *profil* de la page : *Maria*. C'était qui, Maria ?

4

Le type du salon de coiffure Crew Stylists, sur Ballarat Street, m'avait vue à la télé mais ne s'était manifestement jamais retrouvé avec des cheveux de négresse entre les doigts. « Coupez tout », je lui ai ordonné. « Vous coupez sur chaque mèche la partie synthétique et vous détressez jusqu'au nœud. C'est là que le vrai cheveu commence et qu'il faudra couper encore, le plus possible. »

Comme il hésitait toujours, j'ai ajouté : « Si vous avez peur, passez-moi vos ciseaux, je vous laisserai finir à la tondeuse. » *Hair clipper*, en anglais. Il m'a regardée en se demandant comment une fille aussi dénuée que moi de bonnes manières pouvait bien avoir sauvé la vie d'une Member of Parliament de son pays si policé, même conservatrice. Pour contribuer à son apprentissage des choses de ce monde, j'ai complété : « Dans *ma* culture, on appelle ça un *big chop*. »

Tandis qu'il cherchait avec ses ciseaux un angle d'attaque pour mes mèches, j'ai pris mon téléphone et je me suis branchée sur le wifi gratuit de la galerie commerciale voisine. Ça commençait à stagner du côté de la vidéo du Coréen, avec seulement 10 000 vues supplémentaires depuis la veille. Je me suis rendue sur l'option *Signaler un contenu inapproprié* sur YouTube et j'ai rédigé un court texte expliquant qu'étant la principale intéressée sur cette vidéo, je n'avais jamais donné mon accord officiel pour sa diffusion, et qu'au nom des lois de protection de la vie privée, je demandais son retrait dans les plus brefs délais. *Merci de réserver à ce message un sort plus digne que celui d'une bouteille qu'on jette à la mer*, j'ai ajouté.

Je suis ensuite rentrée dans les paramètres de mon compte Instagram. J'ai effacé les mots *Géralde's Room* pour les remplacer par le titre suivant : *Jim n'existe pas.* En sous-titre, j'ai ajouté entre parenthèses : *(Mais James B., lui oui !).* J'en ai profité pour remplacer le texte de Toni Morrison sur la *good good woman* par celui-ci de James Baldwin, que je n'ai pas davantage pris la peine de traduire en français :

I missed the style
that style possessed by no other people in the world
I missed the way the dark face closes,
the way dark eyes watch,
and the way, when a dark face opens
a light seems to go everywhere[1].

1. « C'est *l'allure* que je voulais retrouver. Cette allure qui ne caractérisait aussi bien aucun autre peuple au

J'ai activé ensuite WhatsApp pour écrire le mot suivant à Alain : *Alain, juste pour te dire que je serai mardi à Paris et que ça me ferait moi aussi super plaisir de te revoir pour un verre ou un ciné. Quant à ta soirée gwada du 13, je serai là, tu peux compter sur moi. Je t'embrasse, G.*

À Anouk, l'amie d'amie strasbourgeoise de Sabine qui sous-louait mon studio rue des Épinettes, j'ai envoyé le message suivant : *Bonjour Anouk. Changement de programme, je rentre mardi à Paris. Merci de prendre vos dispositions pour trouver un nouveau logement d'ici une semaine. J'habiterai chez ma mère en attendant mais je vous laisse une semaine, pas un jour de plus.*

J'ai ensuite pris une profonde inspiration, posé une main apaisante sur mon estomac, puis j'ai tapé dans Google : *Mémoires d'Hadrien extraits*. Plusieurs sites proposaient des kilomètres de citations du roman de Marguerite Yourcenar. J'ai béni cette civilisation et son web qui nous permettaient de parler des livres qu'on n'avait pas lus et qui ne nous intéressaient pas. En quelques minutes à peine, j'avais relevé une demi-douzaine d'éloquents passages du roman sélectionnés par d'authentiques lecteurs. Dans un nouvel e-mail, j'ai alors rentré à la rubrique

_____

monde. C'est la façon dont un visage noir se renferme qui me manquait, la façon dont les yeux des Noirs observent. Et, lorsqu'un visage noir s'ouvre, cette lumière qu'il semble répandre de toutes parts. » (James Baldwin, texte inédit.)

Destinataire l'adresse d'Hadrien Brach-Rousseau et, dans la partie *Objet*, les mots *Souvenirs d'Hadrien*. Puis j'ai écrit :

Cher Hadrien, j'espère que tu sortiras bientôt de l'hôpital de Queenstown, dans le meilleur état possible. Avec le randonneur qui s'est occupé de toi hier au lac et le monsieur de l'ambassade qui est venu spécialement de Wellington récupérer ta valise à l'hôtel ce matin, tu es entre de bonnes mains en tout cas. Sans compter ton surmoi et ta légendaire distance sur les choses, même les plus graves. Par ailleurs, j'ai avancé mon départ pour Paris, ce qui a entraîné ce léger surcoût que tu trouveras débité sur ta carte bancaire dont tu m'avais noté les numéros sur un papier, tu te souviens ? En attendant, je soumets à ton attention quelques phrases extraites du roman préféré de ta maman. Bien à toi, Géralde.

J'ai utilisé de mon mieux mes vertus, j'ai tiré parti de mes vices

Je ne savais pas que la douleur contient d'étranges labyrinthes, où je n'avais pas fini de marcher

Natura deficit, fortuna mutatur, deus omnia cernit : La nature nous trahit, la fortune change, un dieu regarde d'en haut toutes ces choses

Il était arrivé à ce moment de la vie, variable pour tout homme, où l'être humain s'abandonne à son démon ou à son génie, suit une loi mystérieuse qui lui ordonne de se détruire ou de se dépasser

Notre grande erreur est d'essayer d'obtenir de chacun en particulier des vertus qu'il n'a pas et de négliger celles qu'il possède

Tout bonheur est un chef-d'œuvre : la moindre erreur le fausse, la moindre hésitation l'altère, la moindre lourdeur le dépare, la moindre sottise l'abêtit

Je pensais avec un serrement de cœur que rien n'est plus lent que la véritable naissance d'un homme

Au-dessus, le type s'en tirait plutôt pas mal avec mes vanilles : « Mais c'est que vous vous débrouillez très bien, dites donc », je lui ai dit sur le ton d'une maman fière du pâté de sable que son petit garçon a pondu sur la plage. Il m'a regardée de nouveau, sans savoir si mon exclamation était sincère ou si je me foutais de sa gueule. « En tout cas, ça va me donner des cloques », il s'est plaint en brandissant sous mes yeux ses doigts aux bouts rougis. *I'll get blisters on my hand.*

« Ça s'appelle le *choc des cultures* », j'ai dit pour clore le chapitre. Puis, tandis qu'il attrapait un balai pour disperser les mèches mortes qui s'étaient accumulées autour de mon siège, je me suis regardée dans le miroir et j'ai repensé à Fred, mon collègue de la boîte à sondages de Daumesnil où j'étais documentaliste intérimaire lorsqu'il m'avait présenté Pierce. J'avais été un peu dure avec lui : c'est vrai que les cheveux courts me donnaient un petit côté Lupita Nyong'o dans *Twelve Years a Slave*. Puis j'ai désigné au coiffeur la tondeuse posée sur le rebord du miroir : « Allez, encore un petit peu de courage, c'est la dernière ligne droite. »

Sur Instagram, Fadila, quasi en direct, prenait connaissance des modifications de présentation que je venais d'opérer sur mon compte. *Qu'est-ce qu'il y a ? Ça va pas ?* elle me demandait. *Tu as l'air vénère.* « *Jim n'existe pas* » : *ça veut dire qu'il y a un problème avec Hadrien ?* Dans le miroir, le type s'appliquait à tondre au plus près depuis mon front jusqu'à ma nuque par longues bandes juxtaposées et parallèles, comme sur une pelouse. Par terre, sur le carrelage blanc immaculé, les moutons mousseux de cheveux noirs s'accumulaient. On aurait dit un négatif de flocons de neige recouvrant peu à peu la terre. Lorsqu'il a terminé, j'ai caressé du plat de ma main mon crâne tout neuf. Le fer des rasoirs avait rendu le cuir si sensible que je pouvais percevoir le battement de mon cœur sous la pulpe de mes doigts. Mais l'air circulait et c'était bon. *Non, pas de problème,* j'ai tapé pour Fadila. *Juste une bonne coupe, c'est tout.*

Ce livre a été écrit dans le cadre d'une résidence au Randell Cottage de Wellington, un programme soutenu par le Randell Cottage Trustee et l'ambassade de France en Nouvelle-Zélande.

Les phrases en ewondo ont été traduites par Imane Ayissi.

DU MÊME AUTEUR

Aux Éditions P.O.L

JE NE SUIS PAS UNE HÉROÏNE, 2018 (Folio n° 6704).

ATTACHE LE CŒUR, 2018.

ÉCRIRE À L'ÉLASTIQUE, avec legor Gran, 2017 (Folio n° 6538).

AU PAYS DU P'TIT, 2015 (Folio n° 6278).

LA LIGNE DE COURTOISIE, 2012 (Folio n° 5600).

TU VERRAS, 2011, prix du Livre Fance Culture - *Télérama* (Folio n° 5492).

LE ROMAN DE L'ÉTÉ, 2009 (Folio n° 5244).

BEAU RÔLE, 2008 (Folio n° 4909).

J'ÉTAIS DERRIÈRE TOI, 2006 (Folio n° 4583).

RADE TERMINUS, 2004 (Folio n° 4310).

ONE MAN SHOW, 2002 (Folio n° 4091).

DEMAIN SI VOUS LE VOULEZ BIEN, 2001.

LE TOUR DU PROPRIÉTAIRE, 2000.

Composition Nord compo
Impression Novoprint
à Barcelone, le 03 septembre 2019
Dépôt légal : septembre 2019
ISBN 978-2-07-283287-1./Imprimé en Espagne.